Para Zabdyck
y Guillermo. Con
mucho cariño para el
primer bebé: Marialy
Antonio y
Guille.

16/05/95. —

ENTENDIENDO A TU BEBE

DR. TONY MANRIQUE GUZMÁN

- Médico Cirujano

  Escuela de Medicina José María Vargas
  Universidad Central de Venezuela

- Pediatra

  Boston City Hospital
  Boston University School of Medicine

- Especialista en Desarrollo Infantil

  Children's Hospital Medical Center
  Harvard University Medical School

- Actualmente se desempeña como Pediatra del
  Centro Médico Docente La Trinidad,
  Caracas-Venezuela.

DR. TONY MANRIQUE GUZMAN

ENTENDIENDO A TU BEBE

Los primeros doce meses

GRUPO EDITORIAL PLANETA

COLECCIÓN MANUALES PLANETA

Diseño gráfico y diagramación: Patricia Nelson de Manrique
Diseño de la portada: Armando G. Jurado
Fotografía de la portada: Patricia Nelson de Manrique
Fotografía del autor: Bianca García Bocaranda
Reproducciones: Joaquín Torres

© 1989, Dr. Tony Manrique Guzmán
© 1989, Editorial Planeta Argentina S.A.I.C.
Tercera reimpresión para Venezuela - Colombia y Ecuador, diciembre 1994

ISBN: 968-406-205-2

Impreso por Editorial Presencia Ltda.

Impreso en Colombia - Printed in Colombia

A mi esposa, Patricia,
y a mis hijos, Tony, Patricia Helena y
Juan Rodrigo.

Agradecimiento

Es difícil recordar el numeroso grupo de personas, que de un modo u otro, ayudaron a moldear la forma final de esta obra.

Mis dos hijos Tony y Patricia Elena, así como mi creativa y comprensiva esposa Patricia, fueron sin lugar a dudas los que me impulsaron e inspiraron a llegar a las páginas finales de este libro.

El trabajo fue realizado mientras me encontraba entrenando en la Unidad de Desarrollo Infantil del Children's Hospital Medical Center de la ciudad de Boston; la influencia del Dr. T. Berry Brazelton, director de la unidad, se refleja claramente a través de los primeros capítulos. Su sabio y oportuno consejo me fueron invalorables. A continuación menciono a varios de mis colegas de la unidad, quienes con paciencia me oyeron repetir una y otra vez partes del entonces crudo manuscrito: David E. Barrett, Ph. D., Deborah Beck, M. S. W., Benton Levie M. D., Zachariah Boukydis Ph. D., Nancy Poland, R. N., M. S. N., Joel Hoffman, Ph. D., Kevin Nugent, Ph. D.

No puedo olvidarme así mismo, del continuo soporte y acertada crítica que el Dr. Donald A. Nelson le dio a esta obra.

Para finalizar, extiendo mi reconocimiento a los padres y a los bebés, de los cuales aprendí muchísimo, y que además gentilmente contribuyeron con algunas de las fotos del libro.

A todos, mis más expresivas gracias.

Dr. Tony Manrique Guzmán

Introducción

Entendiendo a tu bebé *los primeros doce meses, ha sido escrito para todos los padres y en especial para aquellos que por primera vez cuentan con esta maravillosa experiencia. En este libro he tratado de abarcar todos los puntos clave que, en base a mis estudios y vivencia personal, considero importantes para comprender y disfrutar al máximo el rápido cambio que experimentan los niños durante este primer año.*

Para ello, no sólo se describen aspectos físico-médicos como son la talla, el peso y algunas de las enfermedades comunes en esta edad, sino que se puntualizan detalles sobre la madurez de muchas funciones, desde las sensorio-motoras hasta las intelectuales, tratando en todo momento de contrastar los cambios que se suceden mes a mes. Se discuten numerosos problemas que con frecuencia afectan a las familias en su lucha por encontrar un equilibrio emocional entre sus integrantes, y se ofrecen datos prácticos en la crianza del bebé, respetando y respaldando la decisión de los padres.

Este libro no pretende ser original, pero ciertamente refleja lo más reciente del conocimiento sobre desarrollo infantil, así como las teorías más antiguas que por su solidez continúen gozando de una vigencia indiscutible.

El lenguaje utilizado en algunos capítulos podrá parecer un tanto técnico; sin embargo, el sentido general de la obra es claro y preciso.

Ciertos temas como el sueño, el llanto, la alimentación, la disciplina y la autonomía son discutidos en forma gradual, con la idea de que al entender su evolución normal se puedan prevenir trastornos de la conducta en estas áreas, que en muchas ocasiones repercuten en toda la familia.

Al final de cada capítulo se sugieren algunas actividades basadas en las capacidades que el niño ha adquirido o perfeccionado durante ese mes; no las interpretes como algo obligatorio, pues sólo representan una guía general, que espero te ayude a improvisar, modificar o adaptar los juegos con tu bebé.

Es probable que tu hijo no se parezca en todo a lo que describo en este libro; esto es debido a que los bebés son únicos y diferentes;

por lo tanto acostúmbrate desde ya a reconocer y a valorizar sus variaciones individuales.

Para terminar con esta breve introducción, espero que este libro contribuya a facilitarles la maravillosa y a la vez difícil tarea de ser padres.

Creo firmemente que entendiendo a tu bebé y respetándolo como persona conseguirás la forma más agradable de verlo crecer.

Glosario

Con la finalidad de facilitarles a los lectores de diferentes países de habla hispánica la mejor comprensión de algunos vocablos regionales o de distinta significación que aparecen en el texto, se consigna la siguiente nómina, que incluye equivalencias de unidades de medida.

Andaderas: andador
Banana: cambur, plátano
Biberón: tetero, mamadera
Bombacha: pantaletas
Cilantro: hierba aromática de propiedades digestivas
Cojines: almohadones
Chaucha: judía, haba, vaina
Chupete: chupón, chupador
Chupetín: golosina; dulce sujeto al extremo de un palillo
Expresión: acción de exprimir
Fontanela: mollera
Heladera: nevera
Hisopos: palillos con algodón
Lanugo: vello o pelusa del recién nacido
Llano: llanura, utilizado como "lugar caluroso"
Maraquita: sonajero
Moisés: cesta usada como cuna portátil
Onza: 30 ml
Palafito: cabaña lacustre
Papaya: fruto dulce y sabroso de países cálidos
Ponchera: recipiente, fuentón para bañar al bebé
Salpullido: sarpullido
Zapallo: cierta variedad de calabaza

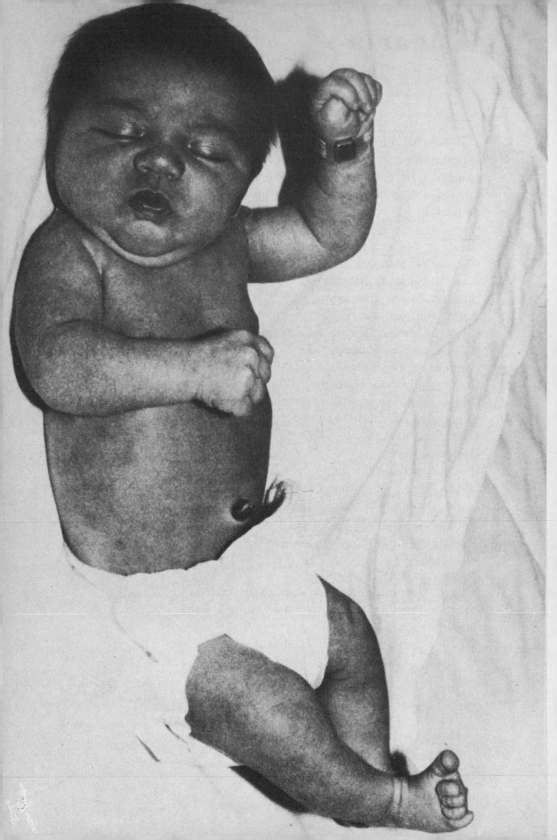

1 un mes
la primera semana

1 un mes
la primera semana

Una generación atrás, el recién nacido no era más que un pequeño ser, caracterizado por mucho llanto, ensuciar los pañales y mínima comunicación. Sin embargo, hoy en día el producto de la investigación y de la observación del neonato nos revela las maravillosas capacidades con que vienen al mundo los bebés.

¿Sabías tú que dentro del útero el feto ya demuestra sensibilidad a la luz, a los sonidos y a los cambios de temperatura? Muchos de ellos al nacer ya tienen varias semanas chupándose el o los dedos de la manito. A pesar de que el sistema nervioso del recién nacido no está completamente organizado y maduro, todos los órganos principales funcionan y están adecuados para el reto de la supervivencia.

Aspecto físico

A primera vista, el típico recién nacido es factible que impresione a los padres, quienes por lo general tienen en mente el aspecto del niño gordo, de formas redondeadas y suaves, más relacionado con bebés mayores, de tres a cuatro meses. Pero la realidad es otra y toma tiempo acostumbrarse. Al nacer, el bebé viene recubierto de una substancia blanca como la cera *(vernix)* que le permite deslizarse por el canal de parto. La cabeza es grande en relación con el cuerpo, los ojitos y la cara pueden verse hinchados y presentan en algunos casos lesiones moderadas, como consecuencia del trabajo de parto y del esfuerzo inmenso que tanto el bebé como la madre realizan para encontrarse cara a cara. Los ojos también pueden inflamarse debido a reacciones producidas por el * *nitrato de plata*, utilizado en la prevención de ciertas enfermedades oculares (actualmente se utilizan colirios antibióticos con menos reacciones). Algunas madres se desilusionan por el aspecto inicial de sus bebés, pero esta apariencia es temporal y, probablemente, después de todo lo que pasaron juntos, no luce tan mal.

Al nacer, los bebés pesan de *2.500 g a 4.000 g*; esto varía considerablemente de acuerdo con la edad gestacional (meses de embarazo), nutrición de la madre, condiciones dentro del útero, factores de carácter médico, etc. En cuanto a la talla, usualmente miden de *48 a 50* cm. La velocidad con que late el corazón es prácticamente el doble de la del adulto, siendo de unos *120 latidos por minuto*. La frecuencia respiratoria es de 33 veces *por minuto,* aproximadamente. Estos últimos parámetros varían de acuerdo con la actividad del bebé.

*   Actualmente se utilizan colirios antibióticos con menos reacciones.

Durante los primeros días, el recién nacido pierde de un 5 a un 8% de su peso inicial; esto es debido, en parte, a la eliminación de meconio (primeras heces), pérdida de vernix caseosa y de orina, así como de vapor de agua por la respiración y líquido por el sudor.

Una de las cosas que más resalta en el recién nacido es su desproporcionada cabeza, que abarca un cuarto de la talla corporal, y que al pasar por entre los huesos de la pelvis de la madre se alarga y adapta favoreciendo la salida del niño. Este amoldamiento le confiere aspecto de verdadero melón, pero retornan a la normalidad al cabo de pocos días. A menudo puede aparecer una pequeña protuberancia en la región posterior del cráneo conocida como *"caput succedaneum"*, que es debida a las presiones de los músculos pélvicos de la madre durante el parto; ésta no presenta mayor inconveniente y desaparece a los pocos días. Las orejitas y la nariz pueden estar torcidas o dobladas discretamente, pero también tienden a corregirse solas con rapidez. *El*

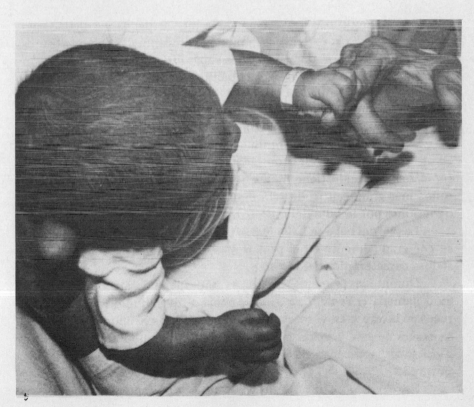

cordón umbilical persiste de una a dos semanas más o menos, secándose y desprendiéndose para dar origen al ombligo. En cuanto a las piernas y los brazos, casi siempre se hallan en flexión, y cuando tratamos de estirarlos regresan a su posición original como si tuvieran un resorte. Tienen cerradas las manitos sobre el dedo pulgar; si se las abrimos y rozamos la palma con nuestro dedo, las cierran en forma refleja, con fuerza suficiente para levantarlos *(reflejo palmar)*. Los padres frecuentemente se preocupan por la forma de las piernas de sus hijos, la cual se debe en gran parte al tipo de acomodación intrauterina; si la deformación es leve, usualmente se corrige sola durante el primer año de vida; si es exagerada, el médico encargado tomará las medidas adecuadas.

La piel

A menudo, la piel del recién nacido luce arrugada y a algunos bebés parece como si les quedara grande; asimismo, al cabo de algunos días, comienza a descamarse en finas capas especialmente en la región de los pliegues, manos y pies. En cuanto al color, varía con la raza, la temperatura ambiente y la tensión a que esté sometido el bebé. Coloraciones azuladas *(cianosis)* de la piel, muchas veces son ocasionadas por el esfuerzo respiratorio del niño al expulsar restos de moco de sus vías aéreas. La gran mayoría de este moco es aspirado mediante una sonda por el obstetra en el momento del parto. Como dato interesante, el recién nacido tiene mayor tolerancia a la falta de oxígeno que niños más grandecitos; de esta manera, su cerebro se halla protegido de lesiones por la falta del mismo, dentro de ciertos límites.

La piel del bebé se halla cubierta de un vello fino *(lanugo)* el cual se cae gradualmente en el primer mes, dando lugar a la piel suave y sedosa característica del lactante.

Durante las primeras semanas el niño puede desarrollar una erupción llamada *eritema tóxico;* se asemeja a un salpullido y puede aparecer en la cara y en el cuerpo, raramente en las extremidades. La causa exacta de este eritema no se conoce, pero ya que no produce complicaciones y desaparece espontáneamente, no le de demasiada importancia.

Espero que la idea de hacer esta descripción general, donde se incluyen algunos aspectos físicos y médicos del recién nacido normal, satisfaga en parte la comprensible curiosidad de los padres.

Ictericia

Durante el tercero al quinto día de nacido, puede aparecer una coloración amarilla en la piel del bebé, que a veces se prolonga hasta el décimo día y es considerada normal; es causada por un tipo de ictericia llamada *"fisiológica"*, producida por una destrucción de glóbulos rojos excesivos propios del feto, que ya no son necesarios al nacer, y viene acompañada de la liberación de una substancia amarilla conocida como *"bilirrubina"*. Esta es normalmente eliminada por el hígado del recién nacido convirtiéndose en bilis. En vista de que este órgano al nacer no se encuentra totalmente maduro en algunos niños, la bilirrubina excesiva no es eliminada eficientemente y se deposita en la piel, confiriéndole el color amarillento. Si la ictericia es precoz, prolongada o excesiva, se requiere pronta consulta con el médico. Además de la ictericia fisiológica o normal, existen otras variedades como la debida a incompatibilidad sanguínea (RH), las hereditarias, la inducida por la leche materna, etc.; sin embargo, son más raras y menos frecuentes. Aproximadamente 25-50% de los RN normales pueden presentar ictericia fisiológica y porcentajes todavía mayores pueden verse en prematuros.

Capacidades sensoriales

A continuación voy a referirme a las capacidades sensoriales con que los bebés vienen al mundo. Empecemos diciéndoles que el recién nacido normal es perfectamente capaz de aceptar aquellos estímulos externos, ya sean visuales, auditivos, táctiles, etc. que pueda tolerar e interesarle. Para ello se encuentra dotado de un verdadero mecanismo de defensa que lo protege contra la hiperestimulación, y que puede manifestarse a través de conductas como: dormirse profundamente, bloquear el estímulo no haciéndole más caso al cabo de cierto tiempo *(habituación)*, cerrar los ojos, llorar intensamente, arquear el cuerpo y alejarse del estímulo, voltear la cara, y muchas otras conductas que ustedes, padres, pronto van a identificar.

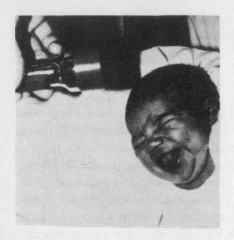 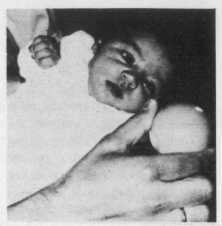

Estímulo visual

Para que tengan un ejemplo más claro de lo expuesto anteriormente, hagan la prueba ustedes mismos de la siguiente forma: vamos a demostrar la capacidad que tiene el bebé de bloquear la luz de una linterna (de las pequeñas) mientras duerme; recuerda, el recién nacido debe estar dormido. Ilumina uno de sus ojitos desde unos 15 cm de distancia durante dos segundos, luego retira la luz rápidamente; ¿qué observas?: muchos bebés simplemente contraen la cara y los párpados, otros retiran la cabeza, otros abren los brazos bruscamente sobresaltados, algunos se despiertan y lloran. Cada bebé es diferente y único en sus respuestas. Si repites esto cada 15 segundos, durante 9 a 10 veces, es probable que notes que de repente el niño logra bloquear el estímulo, y algunas de las respuestas descritas disminuyen en intensidad o desaparecen como diciendo: "ya no me molesta la luz y puedo seguir durmiendo, pues nací con la maravillosa capacidad de aceptar o de defenderme de aquellos estímulos que no me interesen".

Esta misma experiencia puede ser repetida mediante estímulos auditivos, con el sonido de una maraquita o de una campana. Así pues, no es de extrañarse que algunos recién nacidos duerman perfectamente con el ruido de la aspiradora o la lavadora, sin importarles aparentemente en lo más mínimo.

Pero así como es capaz de controlar la entrada de estímulos externos, el recién nacido normal también demuestra una gran habilidad para mantenerse *alerta* (con los ojos abiertos, inmóvil y atento al mundo exterior); en estos momentos puede seguir con sus ojos y ver objetos de colores brillantes y contrastantes a una distancia de unos 15 a 20 cm (esto varía), logrando algunas veces mover la cabeza y enfocar hacia la dirección del objeto que se desplaza frente a su vista. Por increíble que parezca, se pensaba que los recién nacidos no veían, pero sí ven, quizás no con la claridad del adulto, pues *la vista* requiere tiempo y estímulo para desarrollarse; sin embargo investigadores como Goren (1975) demuestran la definida preferencia del recién nacido

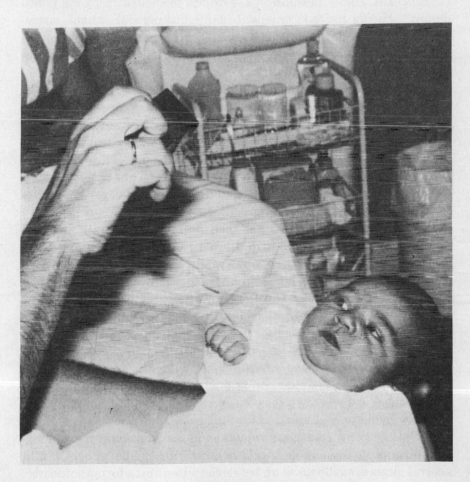

Estímulo auditivo

por las caras humanas, y hacen resaltar el hecho de cómo es capaz de seguir la faz de la madre a una distancia parecida a la que la naturaleza dispone entre el niño mamando y el rostro materno, en arcos de hasta 180 grados.

En cuanto a *la audición*, el neonato se encuentra muy bien organizado y es capaz de discriminar sonidos en base a la frecuencia, intensidad y dirección. Así pues, tu hijo tiene preferencia por sonidos agudos (como los de la voz de la mujer), siendo factible que reconozca tu voz, y en algunas oportunidades voltee la cabeza y los ojitos en tu dirección, como diciendo "ya sé dónde te encuentras, y me siento seguro". Puedes hacer la prueba: haz que una persona le hable suavemente por un oído, mientras tú haces lo mismo por el otro; verás cómo en un alto porcentaje de veces el bebé preferirá la voz de su madre y moverá los ojos en tu dirección.

El olfato del recién nacido también se halla muy bien desarrollado; Mac Farlane demuestra que bebés de 7 días son capaces de distinguir el olor de la leche materna del de la leche de otras madres. En la práctica se ve cómo algunas madres que amamantan, y tratan de darle biberón (fórmulas) al bebé, encuentran rechazo por el mismo; la causa de esto es probable que se deba a su preferencia por la leche materna que huele de cerca. Esta capacidad de seleccionar el estímulo olfatorio podría influir en la unión psicológica de la madre con su hijo.

El neonato tiene respuestas bien definidas en cuanto al *gusto*. Nelson (Jensen, 1932) demostró diferentes reacciones al usar azúcar, sal, aguaquina y ácido cítrico, observando aumentos en la succión de soluciones azucaradas en relación con las otras. Investigaciones recientes establecen diferencias entre el ritmo de succión utilizando leche de vaca, y usando leche materna; con la primera, el niño succiona continuamente haciendo descansos irregulares, mientras que con la leche materna, el bebé establece un patrón de succión con pausas regulares. Esto sugiere como si éstas interrupciones fuesen programadas por la naturaleza, para interactuar con la madre. Así pues, cuando tu bebé pare de succionar y te vea a los ojos en estas maravillosas pausas, aprovecha de hablarle, y aumenta el lazo incomparable que te une a él.

Existen otras *conductas innatas* en el recién nacido; si lo colocamos boca abajo situándole la cabeza en la línea media, el bebé por lo general girará el cuello hacia un lado evitando de esta forma sofocarse. De manera similar, si le colocamos un pañal de tela que le cubra la

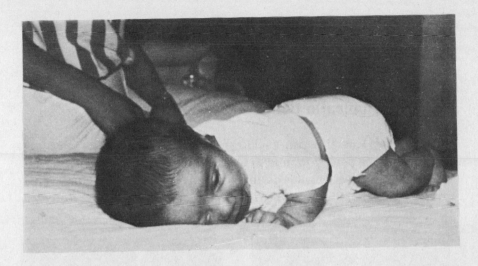

frente y los ojos, veremos cómo hace tremendos esfuerzos para quitárselo de encima, bien arqueando la cabeza o moviendo los brazos en la
dirección del pañal. Es sorprendente ver cómo algunos logran librarse
de la molestia.

Otro dato interesante acerca del potencial insospechado del recién nacido lo podemos ver en su *capacidad de imitación*.

Reacción de defensa

En la revista *Time*, agosto de 1983, aparece la fotografía de un científico sacándole la lengua a un bebé de pocos días, que a su vez repetía el gesto.

Cómo comunicarte con tu bebé

Es claro que el recién nacido no puede hablar y decirte lo que desea, lo que le pasa, y lo mucho que te quiere; sin embargo, el hecho de que no tenga un lenguaje definido no implica que no se comunique contigo. Wolff (1969) encontró que existen tres *patrones diferentes*

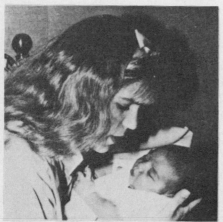
Atención

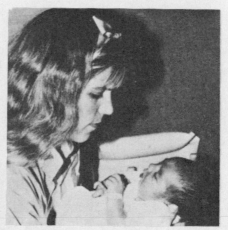
Retirada

de llanto en el recién nacido normal: uno de hambre, otro de rabia y otro de dolor. Así pues alégrate, pues en poco tiempo serás capaz de reconocer estos patrones y te sentirás más confiada en tu capacidad de madre. Estudios recientes demuestran un número todavía mayor de tipos de llanto.

Brazelton (1974) describe que los bebés cuando se hallan alertas (ojos abiertos, inmóviles y atentos al mundo exterior), e interactuando con adultos y familiares, son capaces de mantener *ciclos de atención y retirada* (cierran los ojitos, voltean la cabeza o miran a otro lado) de aproximadamente 4 veces por minuto en los períodos de mayor interacción. Así pues, si aprendes a llevar el patrón del bebé y lo estimulas, bien sea con tu mirada, hablándole, o como lo creas conveniente, tomando en cuenta este ciclo, verás que realmente te comunicas con tu hijo y que él recibe tranquilo el estímulo exterior que lo ayudará a crecer interiormente.

Los padres que no respetan este ciclo de atención y retirada probablemente sobrecargarán al niño de estímulos, haciendo que éste se ponga tenso y rompa la comunicación. Es posible que te preguntes ¿cuál es la clave para no sobrecargar a mi bebé de estímulos?; lo primero es observarlo; hay recién nacidos que se ponen pálidos alrededor de la boca, otros comienzan a bostezar o a estornudar sin motivo aparente, unos imitan una especie de tos seca, otros se limitan a cerrar los ojos o retiran la mirada, hay los que utilizan mecanismos más complicados como el de desconectarse del medio (habituación) bien durmiéndose o ignorándote, algunos lloran y abren los brazos bruscamente; todo esto puede venir o no acompañado de cambios respiratorios, tales como rápidas inspiraciones, o pausas como si estuviera cansado. Cuando te suceda esto con tu hijo no te preocupes, simplemente te está diciendo: "mamá, baja un poco la velocidad pues no puedo captar tantos estímulos a la vez". Deja que descanse un poco, y luego si él y tú lo desean, continúa con esta mágica conversación.

La *estimulación adecuada* para la edad del niño es de suma im-

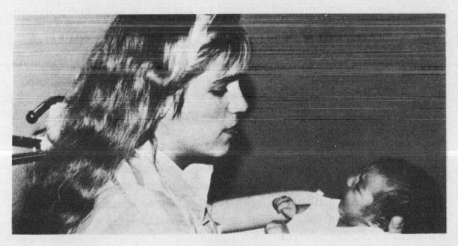

Un estímulo a la vez

25

portancia para su desarrollo físico y mental. Pero la estimulación que no respeta su capacidad y por lo tanto no es adecuada, puede serle muy perjudicial y al mismo tiempo convertirse en una experiencia frustrante para los padres, quienes no consiguen obtener respuestas positivas de sus hijos, pues éstos evaden como pueden el bombardeo de estímulos fuera del ritmo y reciprocidad ya mencionados.

A medida que el niño crece y maduran sus sistemas, aumenta considerablemente la capacidad de interacción con sus padres, familiares y amigos, y es más fácil entender las señales que nos indican: "estoy listo de nuevo para comunicarme, aprender y asimilar nuevas experiencias". Mientras esto sucede, los padres reciben en retorno la energía de sus hijos transformada en sonrisas, sonidos, primeras palabras, primeros pasos y un sinnúmero de otros logros que mes a mes justifican el esfuerzo realizado.

Alimentación del recién nacido

Esta constituye, sin lugar a dudas, el centro de atención de las madres durante los primeros días de vida del bebé. Para aquellas madres que decidieron darle pecho a su hijo por primera vez, se plantearán preguntas muy normales como: ¿me va a salir leche?, y si me sale, ¿será suficiente?, ¿quedará satisfecho?, ¿mi pezón tiene la forma adecuada?, ¿me dolerá mucho?, ¿cuándo y cuánto tiempo debo darle de mamar?, y si no me sale, ¿qué debo hacer?; todas estas preguntas y muchas otras sólo pueden ser contestadas con esto en mente: "voy a hacer todo lo posible por darle pecho a mi bebé, y si por casualidad hay algún problema que realmente me lo impida, no voy a angustiarme sin necesidad, pues existen fórmulas lácteas similares a la composición de la leche materna que harán que mi bebé crezca fuerte y sano". Así, acepta el reto de la naturaleza y verás que no es tan difícil.

La leche llega durante el tercero o cuarto día de haber dado a luz, sin embargo los bebés están naturalmente capacitados para esperar hasta este momento, pues usualmente tienen suficientes reservas de azúcar, grasas y líquido. Además, durante su estancia en el hospital, probablemente ya le dieron agua glucosada y casi siempre en las primeras mamadas sale *calostro* (líquido claro rico en proteínas y anticuerpos, precursor de la leche).

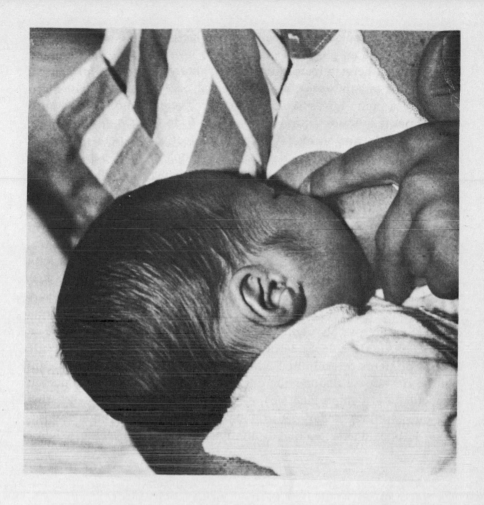

Como dato interesante, es bueno que sepan que la gran mayoría de los bebés lucen más despiertos y se convierten en verdaderos glotones alrededor del cuarto día. Kron y Brazelton resaltan que aquellos niños cuyas madres fueron sedadas durante el parto, succionan con menos fuerza y presión; asimismo consumen menos leche que aquellos niños de madres no sedadas durante el parto.

Antes de comenzar a darle pecho a tu bebé, asegúrate de que *el ambiente sea tranquilo*, libre de presiones y de excesivos "consejos", que puedan hacerte sentir inadecuada con tu hijo, y no siempre aclaran que se trata de un aprendizaje mutuo, personal y sin reglas fijas.

Pídele a alguien con experiencia en lactancia que te ayude a colocar a tu nene en posición; previamente lávate los pezones con una gasita y agua hervida (esto durante el primer mes, posteriormente el baño diario es suficiente); luego sostén el pezón con dos dedos y rózale con la punta los extremos de la boca, verás cómo el bebé automáticamente lo busca y trata de abarcarlo todo *(reflejo de succión)*.

Recuerda que succionar en forma efectiva requiere práctica y organización por parte del bebé, así pues, dale tiempo para que agarre bien todo el pezón, y una vez que lo haga oriéntaselo hacia el paladar. En cuanto a tu *posición*, siéntate lo más cómoda posible; las mecedoras parecen muy apropiadas, o si lo deseas, recuéstate en la cama; en fin, sitúate en una forma tal que puedas verle la cara a tu hijo, y al mismo tiempo puedas controlar la posición del pezón. Como dato práctico, trata de que el resto del seno no le tape la naricita al bebé, pues esto le podría dificultar la succión. En cuanto al *tiempo* que debes dejar a tu hijo mamar, te sugiero 5 a 10 minutos de cada lado durante los primeros dos o tres días, y luego, cuando sientas que te sale bastante leche, permítele 15 a 20 minutos en cada pecho. La gran mayoría de la leche se obtiene al comienzo de la mamada, 50% en los primeros dos minutos, y 80 a 90% en los primeros cuatro minutos; de esto se deduce que con 10 minutos de verdadera succión (no cuenta el tiempo inactivo), el niño debe quedar satisfecho. Una vez que termines de darle, introdúcele el dedo pequeño en la comisura de la boca de manera que disminuyas la fuerza de succión, y luego

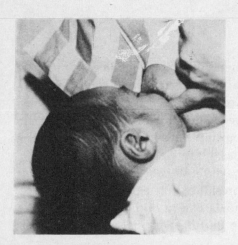

Rompiendo la succión

despégatelo lentamente; si no haces esta fácil maniobra, es probable que te maltrates el pezón y pueda aparecer una grieta. Recuerda ponerte alguna crema a base de lanolina para que no se te resequen los pezones, y asegúrate de quitártela bien antes de darle pecho de nuevo al nene, pues podría dejarle un sabor diferente a la leche.

El único estímulo que realmente favorece la secreción de la leche humana es el vaciado regular y completo de los senos; por lo tanto, no te olvides de empezar a darle pecho por el último seno que usaste, de esta forma garantizas un vaciado efectivo de ambos lados.

Algunas madres se preocupan porque el bebé se les duerme y no continúa succionando; no te angusties por esto, pues la naturaleza raramente se equivoca y te aseguro que cuando se despierte, si quedó con hambre, te lo dará a conocer inmediatamente. Existen muchos tipos de bebés, entre ellos el verdadero "becerro", que en forma rápida te vacía completamente la leche, y otros llamados "gourmets", que se toman su tiempo disfrutando de cada gota.

Durante las primeras semanas no hay un *horario* específico, y lo normal es darle pecho cuando el niño lo desee (a demanda); esto ocurre cada 2 ó 3 horas, y varía considerablemente de acuerdo con los requerimientos del bebé.

Como dato interesante, cada vez que das de mamar se estimula en tu organismo una hormona llamada *oxitocina*, que tiene como función principal la de contraer los conductos lactíferos y favorecer la salida de la leche, así como también contraer el útero haciendo que éste retorne a su tamaño normal en forma más eficiente; es por esto que algunas madres refieren un discreto dolor de vientre mientras dan pecho.

Si crees que *el pezón* no es lo suficientemente grande o salido como para que el bebé lo agarre en las primeras mamadas, te sugiero el uso del "tiraleche" (bomba de succión manual), que usado un poco antes de darle pecho te lo alarga y le da forma. El tamaño de los senos de la mujer no tiene nada que ver con la capacidad de producir leche y de amamantar subsecuentemente a su bebé; lo que importa es el número de vasos y conductos lactíferos que se hallan presentes por igual, tanto en las opulentas como en las que no lo son.

Con relación a la pregunta de si te va o no a salir leche suficiente, déjame tranquilizarte con esta cifra estadística; en Francia durante la Segunda Guerra Mundial, en vista de la escasez de otras leches, el 90% de las madres le daban pecho exitosamente a sus bebés. Es muy raro que una mujer no produzca suficiente leche para su hijo; además las glándulas mamarias normalmente elaboran de 40 a 60 ml (2 oz)* de leche por seno cada 2 a 3 horas; tal es exactamente la cantidad que necesitan los bebés en las primeras semanas para crecer normalmente. A medida que pasa el tiempo, la producción de leche aumenta y de esta manera se garantizan los requerimientos del niño.

Recuerda que los bebés se mantienen siempre chupándose su propia lengua, las manitos, o cuanto le pongas en la boca; esto no significa necesariamente que tengan hambre. Si después de haberle dado de comer continúa chupando en forma exagerada, introdúcele en la boca uno de tus dedos, bien lavado, hasta que satisfaga su necesidad normal de succión.

Algunas madres comentan que se agotan mucho dándoles pecho a su hijo, pero lo mismo dicen aquellas que les dan biberón;** es probable que se deba este cansancio a una recuperación normal del proceso del parto. De cualquier manera, es fundamental que la mamá descanse y se alimente lo mejor posible.

El *estado nutricional* de la madre no afecta la composición de la leche en cuanto a su contenido proteico, lactosa y ácidos grasos, sin embargo en lo que atañe a ciertas vitaminas como la A, C, riboflavina y tiamina, si la madre no ingiere la cantidad adecuada, la leche que produce será pobre en las mismas. La excreción de calcio en las mamás que lactan puede llegar a 400 mg por día; de lo expuesto anteriormente se deduce lo importante de una alimentación balanceada, rica en calcio (leche, quesos, etc.), vitaminas (frutas y vegetales frescos), y proteínas (carnes animales en general). Recuerda que ciertas medicinas (analgésicos, antibióticos, hormonas, etc.), nicotina y alcohol, entre otras substancias, son capaces de pasar a la leche materna en cantidades suficientes como para producir efectos en el bebé. Asimismo, algunos alimentos como las fresas, cebolla, repollo, chocolate y ciertos condimentos producen ocasionalmente malestares gástricos y heces flojas en el niño.

El apoyo adecuado de los familiares y amigos en este primer mes trae beneficios indiscutibles.

* 1 onza = 30 ml.
** Ver Glosario.

Los primeros días y noches con tu bebé pueden algunas veces parecer interminables, pues éste todavía no ha regularizado *sus patrones* de hambre, sueño y otros procesos fisiológicos, por lo que se te hará difícil e impredecible. Sin embargo, al final del primer mes o a mediados del segundo (varía en cada bebé), comienzan a regularizarse: las horas de comida son más claras, las siestas y el sueño nocturno ya comienzan a tener un patrón definido, y como resultado tu horario y tus actividades también pueden adaptarse a la maravillosa función de madre.

Alimentar al bebé al seno materno es laborioso, y hay mamás que refieren tardar tanto dándole una comida que pareciera como si se les uniera con la siguiente, pero lo que también afirman es la grandiosa satisfacción que les trae el hecho de poder ellas mismas alimentar a sus hijos. Además, el acercamiento psicológico y físico con tu bebé es de gran importancia en su desarrollo.

Ventajas de la leche materna

Existen numerosos estudios que demuestran claramente que bebés alimentados con leche materna presentan menos infecciones intestinales (Cunningham, 1977), menos diarrea, constipación y gases. Hay también menos infecciones respiratorias, y más inmunidad contra la polio, sarampión, parotiditis (paperas), y muchas otras enfermedades virales. La causa de esto es que la madre le traspasa anticuerpos e inclusive glóbulos blancos (células defensoras) a su hijo a través de la leche. Asimismo, otros estudios hablan de menos procesos alérgicos y no intolerancia a la leche. Además, la leche humana provee la exacta cantidad y la proporción adecuada de los nutrientes que tu bebé necesita para crecer.

Se ha demostrado que aquellas mamás que le dan pecho a sus hijos durante por lo menos 5 meses, presentan menos cáncer de mama que aquellas que no lo hacen.

Cuando la mujer le da pecho regularmente a su bebé, el organismo segrega una hormona llamada *prolactina*, que interviene en la formación de la leche y que en ciertos niveles es capaz de suprimir la ovulación y provocar amenorrea (la regla desaparece). Esto actúa como una protección anticonceptiva natural, que termina cuando se disminuye la lactancia. Con todo, la seguridad no es absoluta, y muchas madres, si no se cuidan, quedan embarazadas durante este período.

Aquellas madres que trabajen fuera del hogar y que deseen continuar dándole pecho a su bebé, pueden recurrir al uso del tiraleche (existen varios tipos en el mercado), o a la expresión manual, colocando la leche en biberones estériles y refrigerándolos en la heladera.* De esta manera, otra persona puede darle de comer al bebé mientras tú realizas tus actividades. La leche materna puede ser conservada de 24 a 48 horas en la heladera, o de 3 a 4 meses en el congelador.

¿Cuándo y cómo dejar de darle pecho al bebé?; a menos que exista alguna contraindicación médica, no hay una edad específica para *el destete,* y básicamente depende de las necesidades y deseos de ambos. De cualquier forma, lo preferible es hacerlo gradualmente; cuando los dos se decidan comienza a sustituirle algunas de sus comidas con biberón o con un vasito (depende de la edad). El proceso toma varias semanas y normalmente es bien tolerado por ambos.

Alimentación con leche de vaca o con fórmulas

¿Qué sucede si no puedes o no deseas darle leche materna a tu hijo? La Asociación Americana de Pediatría insiste y estimula la lactan-

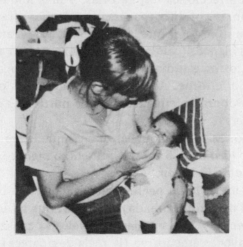

* Ver Glosario.

cia materna, sin embargo agrega: "Desarrollo y crecimiento normales son posibles sin ella".

Gran cantidad de bebés son alimentados con biberones de leche diferente a la materna; de igual manera que los alimentados al pecho, los que se alimentan con fórmulas se adaptan rápidamente a este tipo de comida. Existe la ventaja de que puedes observar cuántos gramos toma el bebé (alrededor de 90 a 120 ml cada 3 a 4 horas), y además, el padre puede participar en forma activa en esta importante tarea.

Coloca al bebé semisentado sobre tus piernas y sitúate lo más cómoda posible; verifica que la leche en el biberón no esté demasiado caliente, goteando algo de la misma sobre el envés de tu mano; no ajustes la rosca muy apretada, pues el nene crearía un vacío que impediría la salida de la leche. Rózale uno de los extremos de la boca con la tetina (pico del biberón), de manera que el niño la busque en forma refleja. Dale un cierto tiempo para que organice su mecanismo de succión y luego permítele que chupe, haciendo pausas cada vez que notes que tiene dificultad para tragar, con el objeto de sacarle los gases.

La preparación de los biberones no es tan complicada como parece; te recomiendo que adquieras de 6 a 8 biberones (plástico o vidrio), de 240 ml cada uno, y por lo menos dos de los pequeños de 120 ml, acompañados de sus tetinas respectivas. Algunas veces es necesario abrirles los agujeritos a las tetinas mencionadas: una aguja caliente resuelve el problema. Para esterilizarlos basta con hervirlos du-

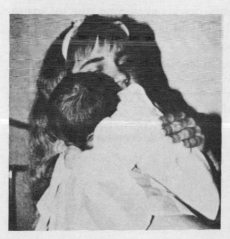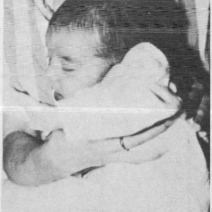

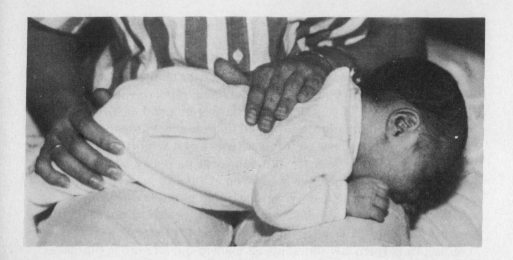

rante 15 a 20 minutos, y luego dejarlos enfriar. En cuanto a la preparación de la leche, sea en polvo o líquida, sigue las indicaciones del médico, pues la dilución varía de acuerdo con la edad del bebé, el peso, los requerimientos calóricos y la marca de la leche. Usa siempre agua filtrada y hervida en la elaboración. No cambies el tipo de leche (ej.: soja) sin previa consulta con tu médico.

Algunas madres facilitan la *expulsión del gas* en sus bebés dándoles palmaditas o frotándoles suavemente la espalda mientras los cargan en el hombro, o los colocan en forma transversa, boca abajo sobre las piernas. Otras prefieren semisentarlos al tiempo que los sostienen por la espalda y la cabecita, inclinándolos hacia adelante y hacia atrás hasta escuchar el simpático sonido.

A continuación presento dos tablas, donde aparecen respectivamente el número de comidas promedio en 24 horas, y la cantidad

TABLA 1

Edad		Nº de comidas en 24 horas	
0	1 semana	6	10
1 sem.	1 mes	6	8
1 mes	3 meses	5	6
3 "	7 "	4	5
4 "	9 "	3	4
8 "	12 "	3	

TABLA 2

Edad		Cantidad de leche por comida	
1 sem . . . . . 2 semanas		2 a 3 onzas (60 a 90 ml)	
3 sem . . . . . 2 meses		4 a 5 " (120 a 150 ml)	
2 meses . . . . 3 "		5 a 6 " (150 a 180 ml)	
3 " . . . . 4 "		6 a 7 " (180 a 210 ml)	
5 " . . . . 12 "		7 a 8 " (210 a 240 ml)	

aproximada de leche en gramos, requerida para el desarrollo normal del niño, por edades, durante el primer año de vida. Recuerda que se trata de valores promedio, y que como tales no reflejan necesariamente los requerimientos individuales de cada bebé.

Introducción de alimentos sólidos

Este es un tema sumamente controversial en el cual los especialistas todavía no se ponen de acuerdo. Empecemos diciendo que una generación atrás la comida sólida (cereales, vegetales, carnes, etc.), se le ofrecía al bebé en torno al año de edad; los médicos gradualmente fueron acortando esta fecha, hasta llegar al punto en que los padres podían iniciar a sus hijos en ciertos alimentos sólidos durante el primer mes de vida.

Estudios nutricionales hechos posteriormente sugieren que no existen razones válidas como para comenzar tan temprano este cambio en la alimentación, y afirman que la *edad ideal* para ello se sitúa entre los cuatro y los seis meses de vida. Los especialistas sostienen que el sistema digestivo del bebé no se encuentra lo suficientemente maduro y desarrollado como para aceptar sólidos, a menos que éstos sean triturados hasta convertirlos prácticamente en líquidos; y todavía así, es muy probable que la digestión de ciertos alimentos (cereales, por ejemplo) no sea satisfactoria, en vista de la escasez de algunas enzimas intestinales. Los sólidos pueden en un momento dado disminuir el apetito del bebé, y como consecuencia disminuirle también el gusto por la leche, que como sabemos es de suma importancia en el crecimiento infantil. Además, la coordinación motora de la lengua y de la mandíbula no es adecuada como para comer de una cuchara; debido a esto, el bebé realiza un gran esfuerzo asociado a una pérdida innecesaria de calorías, que muchas veces no justifican la cantidad de alimento ingerido.

Por otro lado, se cree que la introducción temprana de alimentos sólidos en el primer año de vida está asociada con patrones de conducta (sobrealimentación) que lo pueden conducir a problemas de obesidad. Asimismo, los adipocitos (células almacenadoras de grasas) parecen aumentar de número durante este período, en relación con la ingestión exagerada de calorías, contribuyendo probablemente al futuro sobrepeso del niño.

Para finalizar, estudios realizados por el doctor W. Allan Walker del Hospital de Niños de Boston (1984) nos sugieren que la pared intestinal del recién nacido y de muchos bebés antes de los tres meses de edad no ha madurado lo suficiente como para formar la llamada *barrera mucosa*. Esta barrera defensiva tiene como función evitar que penetren directamente al torrente sanguíneo bacterias y proteínas, u otras substancias, sin antes haber sido destruidas (caso de las bacterias) o digeridas y seleccionadas (proteínas).

Si a estos bebés mencionados se les dan alimentos sólidos en forma temprana, se corre el peligro teórico de que, entre otras cosas, muchas de estas proteínas pasen directamente a la sangre y desencadenen procesos alérgicos como por ejemplo intolerancia a la leche de vaca, o, en algunos, problemas de mala absorción intestinal.

Las heces del recién nacido

Las primeras deposiciones del recién nacido se llaman *meconio* (material semisólido gris pardusco oscuro). Por lo general se expulsa meconio durante los dos o tres primeros días, de cuatro a seis veces diarias. El número de defecaciones en el neonato es mayor, debido a su menor capacidad de retener materia fecal en el recto.

Vitaminas y agua en el recién nacido

La leche de aquellas madres cuya alimentación es correcta (bien balanceada y en suficiente cantidad) suple perfectamente las necesidades nutricionales del recién nacido, con la probable excepción, al cabo de algunos meses, de la vitamina D. Asimismo, las leches en polvo no contienen suficiente cantidad de vitamina C, por lo tanto es frecuente que el médico le recete al niño, durante el primero o segundo mes, compuestos que asocian vitaminas A, C y D; la dosis varía de 0,3 cc a 0,6 cc diarios.

A medida que el bebé va creciendo y se introducen jugos, frutas y vegetales frescos en su alimentación, la chance de una deficiencia vitamínica disminuye.

En cuanto al *agua*, existen bebés a los que les gusta mucho, y otros a los que simplemente no les gusta. Algunos pediatras recomiendan darle de 30 a 60 ml al día, entre las comidas; con todo, el requerimiento de agua casi siempre es satisfecho con la preparación de las fórmulas y la contenida en la leche materna.

Se ha sugerido que si la temperatura ambiente es elevada (playa, llanos, etc.), se le dé al bebé una cantidad mayor de líquidos; también, si presenta fiebre, es prudente aumentar el suministro. Como dato curioso, aquellos bebés a los que no les interesaba el agua, en estas situaciones la aceptan con mucho agrado.

Temperatura

El mecanismo regulador de la temperatura en el recién nacido requiere cierto tiempo para ser efectivo; debido a esto, algunos bebés presentan dificultades durante las primeras 7 a 8 horas de vida para mantener temperaturas estables, y pueden perder varios grados rápidamente si son expuestos al frío, o entonces les sucede lo contrario si la temperatura es muy caliente.

Este control térmico va aumentando en el transcurso de las dos primeras semanas, hasta alcanzar valores similares a los del adulto. De todo esto se deduce que no hace falta sobrecargar de ropa al bebé, sino ponerle la cantidad suficiente como para que se le sienta tibio el cuerpo, el cuello y las piernitas; las manos y los pies son malos indicadores, pues casi siempre se mantienen fríos. Ya al final del mes, vístelo como tú te vestirías de acuerdo con la temperatura del día.

Nunca le pongas ropa de lana directamente sobre el cuerpo, pues a algunos bebés les produce irritaciones; la ropa de algodón es la más recomendable. Para lavar utiliza un jabón suave, y enjuágalo todo bien, pues restos de jabón también pueden ser la causa de algunas irritaciones.

El llanto

Los bebés lloran por muchas razones, entre ellas hambre, dolor, cambios de temperatura, pañales mojados, etc. Sin embargo, si se trata de un llanto diario, sin causa aparente, al final del día, y que la gran

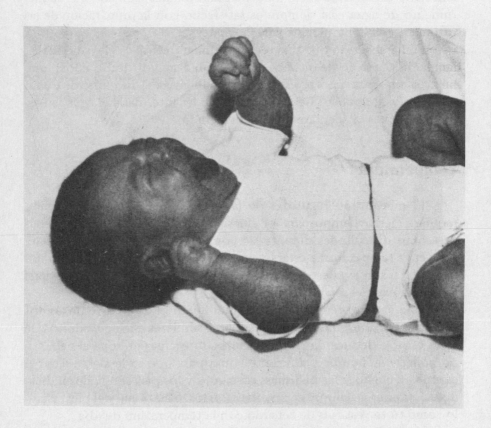

mayoría de las veces se califica de *"cólico"*, debes pensar en la *"hora de la inquietud"*. Los científicos sugieren que algunos bebés se cargan de tensión emocional en el transcurso del día, y al final del mismo la descargan en forma de llanto.

Lo interesante es que este fenómeno tiende a ser regular, y desaparece la mayoría de las veces antes de los tres meses de edad (probablemente en relación con una mayor madurez del sistema nervioso). Si la madre o los familiares se angustian demasiado en estos momentos, es factible que le transmitan mayor ansiedad al niño, y el resultado se traduzca en más llanto. Parte del secreto para tranquilizarlo es que los padres también estén tranquilos.

Recuerda que para un bebé todo es nuevo y estimulante; los sonidos, la luz, los colores y el ambiente que lo rodea, a veces lo llenan de tensión, justificándose plenamente esta descarga a través del llanto (hora de la inquietud).

A continuación describo la técnica utilizada en la escala de Brazelton (1973) *para tranquilizar a los bebés* cuando lloran: primero, descarta cualquier causa obvia de llanto en tu hijo, como por ejemplo hambre, dolor, pañales mojados, etc., luego obsérvalo en la cuna durante un rato sin tocarlo; te sorprenderías de cómo algunos bebés tienden a calmarse solos, ya chupándose la manito, cambiando de posición, durmiéndose, o tratando de fijar la vista en el mundo exterior, para romper de esta forma el estado de llanto y pasar a otro estado más tranquilo, como lo es el de quedarse alerta y atento. Si no logra

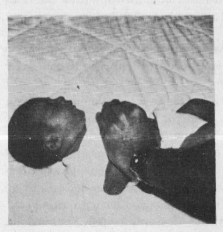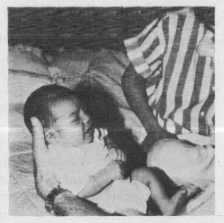

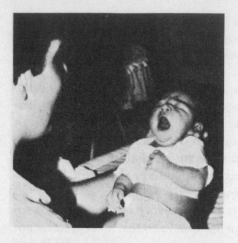 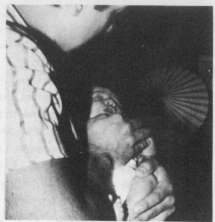

calmarse por sí solo ayúdalo de la forma siguiente: deja que te vea la cara, y al poco rato llámalo por su nombre con una voz suave y continua (muchos se calman sólo con esto); luego, si no sucede nada, colócale tu mano abierta sobre su barriguita; si no hay éxito, súmale gradualmente lo siguiente:

— agárrale una de las manitos, y se la sostienes con la misma mano que le pusiste sobre la barriga.

— agárrale las dos manitos, y se las sostienes con tu mano sobre la barriga.

— cárgalo en tus brazos y arrúllalo con movimientos laterales (puedes o no continuar agarrándole ambas manitos contra su abdomen).

— envuélvelo con una cobijita (en forma de tabaco), evitando que se le salgan los bracitos y cuidando de no cubrirle la cabeza, y continúa arrullándolo con voz suave.

Si ninguna de estas maniobras te resulta, colócale en la boca un chupón adecuado para su edad. A lo mejor te preguntaras: ¿por qué en vez de seguir esta secuencia no le pongo el chupón directamente?; la respuesta es que de la manera descrita inmovilizas gradualmente al bebé, restringiendo el exceso de movimientos y favoreciendo su organización; como resultado, es muy probable que pase del estado de llanto a un estado de alerta (atento), o inclusive de sueño, que lo haga sentirse más en control de sí mismo. Aunque te parezca extraño, los recién nacidos cuando lloran tienden a abrir los brazos rápidamente y a moverse en forma brusca, con lo cual se exaltan, provocándose ellos mismos más llanto e inquietud. Si los inmovilizas, rompes el ciclo "llanto-movimiento-llanto" y es muy probable que lo tranquilices.

Si no se pueden consolar es porque hay muchos bebés que se encuentran tan cargados de estímulos en esta hora de la inquietud, que el mismo chupete o las maniobras descritas son para ellos otra fuente más de estímulos; en estos casos es mejor que el bebé llore solo en su cuna, a veces por espacio de hasta una hora; esto es difícil para los padres, pero no perjudica al niño en lo absoluto, y, por el contrario, favorece su organización.

En la experiencia de algunos especialistas en desarrollo infantil, el procedimiento descrito de dejar al bebé llorar por cierto tiempo cuando está inconsolable disminuye el exceso de llanto al cabo de unas 24 ó 48 horas. Estos niños probablemente continúen llorando, pero en forma menos frecuente y por períodos más cortos.

Detrás de esta sencilla técnica hay toda una teoría científica que la respalda; a aquellos padres que deseen saber más al respecto los invito a revisar la bibliografía correspondiente al final del libro.

Ciclo de sobreestimulación en el "cólico"

llanto continuo

aumento en la ansiedad materna

ansiedad materna

más llanto y rabia (sobreestimulación)

maniobras para consolarlo (estimulación externa)

Patrón de sueño

El horario que adopta el bebé para dormir, así como la organización del sueño, no dependen solamente de la madurez de su sistema nervioso sino que también es influido por los cuidados maternos y el ambiente que lo rodea.

Los primeros pasos en la estructuración de este horario son dados probablemente dentro del útero; es allí donde el feto asimila parte de los esquemas maternos diurnos y nocturnos de actividad, reposo y sueño.

Al nacer, es posible que por un tiempo el horario del bebé no coincida con el de su mamá. En el transcurso de las primeras semanas, las madres interactúan más tiempo con sus bebés durante el día que durante la noche, y, como resultado, el niño empieza a relacionar el día con juegos y actividad, mientras que las noches significan sueño y descanso; es en esta forma gradual y continua como se define el patrón de sueño.

La circuncisión

La circuncisión hoy en día no es tan frecuente como lo fue hace una generación. Los padres en la actualidad cuestionan las ventajas y las desventajas de este común procedimiento quirúrgico antes de practicársela a su recién nacido varón.

Recordemos que la circuncisión es el proceso mediante el cual se remueve la piel suelta que recubre al glande (extremo del pene). La operación es usualmente realizada por el obstetra, pediatra, o especialista en urología, en los tres primeros días de nacido. Los judíos y musulmanes se basan en sus creencias religiosas para escoger la circuncisión. El procedimiento es muchas veces defendido por algunas personas, alegando que es más fácil mantener limpio el glande, reduce el peligro de infecciones en el área, disminuye el cáncer de próstata, del cuello uterino en las esposas casadas con circuncidados, y del pene.

En 1971, un comité de la Academia Americana de Pediatría concluye: "no existe indicación médica válida para que se realice la circuncisión de rutina"; en 1975, el comité afirma que la infección y el cáncer del pene era más baja en los niños circuncidados, pero que los riesgos de la operación eran definitivamente mayores. Enseñarle a los niños a limpiarse su pene es mucho más seguro y tan preventivo como la circuncisión.

Una década más tarde se comprueba que no existe evidencia suficiente para sostener que la operación en el recién nacido prevenga el cáncer prostático en el hombre, o el cervical en la mujer. El comité recomienda no realizar nunca la circuncisión en el bebé prematuro, en los que tengan ciertos defectos congénitos, o en aquellos que presenten trastornos de la coagulación. En lo personal, respeto las creencias religiosas, pero aparte de estas excepciones, no encuentro en la actualidad ninguna indicación médica sólida como para hacer de rutina la circuncisión a todo recién nacido varón. Además, aunque se trate de un procedimiento simple y bastante seguro, no está exento de riesgos, y en algunos casos podemos ver hemorragia excesiva, infecciones, e irritaciones de la uretra y del glande que es muy sensible y queda expuesto a la acción de los pañales húmedos.

El aspecto traumático de la cirugía se reduce con la anestesia local; sin embargo no se utiliza con frecuencia, y entre las respuestas inmediatas del bebé tenemos: llanto, pueden a veces defecarse, algunos se ponen muy rojos, otros vomitan; describo esto con la idea de alejar la creencia de que "no le duele porque es un recién nacido".

Para finalizar, les recomiendo a los padres discutir el tema con el médico encargado antes de nacer el bebé, pues de esta forma se evitan las decisiones apresuradas.

Cómo bañar al recién nacido

El baño constituye una parte importante en la rutina diaria del bebé. En un clima tropical es recomendable que lo bañes diariamente; en climas más fríos no es necesario hacerlo con tanta frecuencia (tres veces por semana es suficiente), pues la piel del recién nacido tiende a resercarse e irritarse. Escoge una hora determinada para el baño de tu hijo, algunas madres prefieren hacerlo después de comida (el bebé tiende a estar menos irritable), sin embargo esto no constituye una regla. Procura que no haya corrientes de aire, y que el bañito (ponchera de plástico, mesa de baño, etc.) sea firme y esté a una altura adecuada y cómoda para ti. Utiliza un jabón suave, preferentemen-

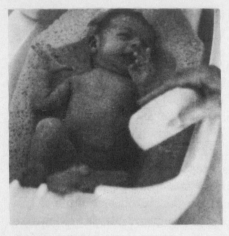 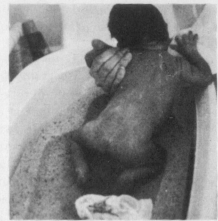

te sin color u olor fuertes (existen muchas marcas comerciales), y asegúrate, con el codo, que el agua esté tibia.

Los primeros baños del bebé se los debes dar con una toallita o una esponja húmeda, sin sumergirlo en el agua, de manera que el cordón umbilical, y la cicatriz en algunos niños circuncidados, no se mojen en exceso.

El cordón tiende a caerse a los diez días aproximadamente, y la circuncisión, si fuese el caso, tiende a cicatrizar en aproximadamente dos semanas. Después de esto, no hay ningún inconveniente en que lo mojes completamente.

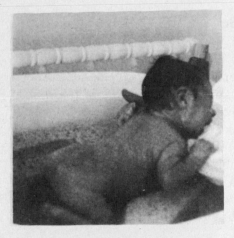 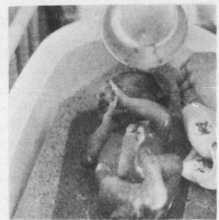

Mantén todo lo que necesites para el baño al alcance de la mano, y no dejes al niño solo ni por un instante, pocos centímetros de agua pueden ser muy peligrosos para un recién nacido. Evita el uso innecesario de aceites para bebé después del baño, pues pueden obstruirle los poros de la piel, favoreciendo infecciones.

Empieza lavándole la cara, teniendo cuidado de que el jabón no le caiga en los ojos; luego lávale la cabecita con champú o con el mismo jabón, utilizando las yemas de los dedos hasta hacer espuma, tratando de orientar los movimientos hacia atrás de manera que no se le resbale la espuma hacia la cara. Enjuágalo dos o tres veces cerciorándote de que le salió bien el jabón, así evitas posibles irritaciones. Lávale la parte exterior de las orejas con cuidado, no hace falta que le introduzcas palillos con algodón. Sécale bien la cabeza, y luego comienza a lavarle el cuerpo y los bracitos, para terminar con sus piernas. Asegúrate de pasarle la esponja por todos los pliegues del cuerpo, y de nuevo enjuágalo cuidadosamente con la toalla húmeda.

Al terminar el baño sécalo bien, y colócale una fina camada de talco sobre el área que cubre el pañal, evitando el excesivo espolvoreo, pues el bebé en un momento dado puede aspirarlo. Algunas madres le colocan vaselina en vez de talco para prevenir las irritaciones por el pañal; ambas formas son efectivas. Todos los bebés son diferentes y únicos, así pues hay algunos a los que les encanta el agua desde el primer baño, mientras que a otros les toma varios días acostumbrarse.

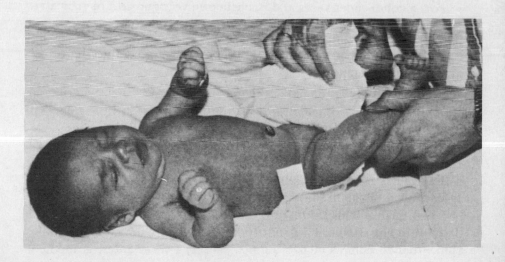

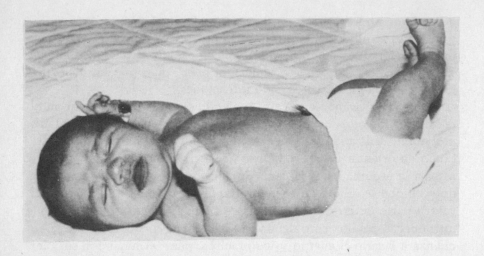

Cuidados especiales

— *Cordón umbilical* : manténlo limpio y seco. Aplícale alcohol (70%) tres veces al día, a lo largo y hasta la base del cordón (seca el exceso); esto lo hace secar más rápidamente y evita posibles infecciones. Cuando el cordón se desprenda (1 a 2 semanas), puede salir un poquito de sangre del ombligo; esto es normal, continúa limpiándoselo con alcohol varias veces al día, hasta que veas que está bien cicatrizado. Si el área alrededor del mismo se pone roja, o hay secreciones de mal olor (pus), consulta con tu médico de inmediato. Nunca le dejes el algodón mojado en alcohol pegado en el ombligo pues produce auténticas quemaduras.

—*Circuncisión*: colócale vaselina en el borde de la herida cada vez que le cambies los pañales, hasta que cicatrice bien (2 a 3 semanas). Si se inflama o hay excesiva hemorragia, consulta con tu médico.

— *Genitales*: a las hembritas es importante limpiarle su área genital externa, de adelante hacia atrás, fijándote en no dejar restos de heces, talco, o vaselina acumulados durante los cambios de pañal. Agua tibia y un jabón suave para bebés son perfectamente adecuados.

En cuanto a los varoncitos, no intentes bajarles el prepucio (piel que cubre el extremo del pene) todavía, pues usualmente está adherido. Cuando cumpla cuatro a cinco meses, a veces antes, el médico

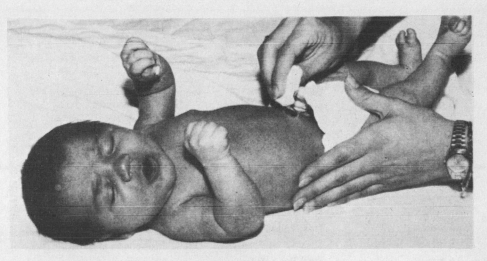

Limpieza del cordón umbilical

te explicará una maniobra fácil para hacerlo, y sólo entonces podrás limpiarle su genital en la misma forma que a las hembritas.

Inmunizaciones (vacunas)

A continuación, presento el esquema general de vacunaciones que se utiliza normalmente. Aprovecho para aclarar que algunas de estas inmunizaciones pueden ser administradas en edades diferentes a las indicadas, y depende de la mayor o menor incidencia de ciertas enfermedades de la región en cuestión.

Así por ejemplo, en los países más desarrollados en los cuales el sarampión está mejor controlado (baja incidencia), el niño se vacuna a los 15 meses de edad, no así en los menos desarrollados, donde por criterio sanitario se vacunan a los 9 meses, o al año de edad.

No está de más recordarles la importancia de que vacunen a sus hijos durante este primer año; piensen que muchas de estas enfermedades pueden ser graves, y que sin embargo son perfectamente previsibles.

ESQUEMA DE VACUNACIONES

Edad recomendada	Vacuna	Comentarios
Recién Nacido	BCG	Vacuna contra la Tuberculosis
2 Semanas	Polio Oral	
1 mes	HBV_1	Protege contra la Hepatitis B
2 meses	DpT, Polio, HiB_1	Protege contra la Difteria, Tétanos, Pertusis (DpT), Protege contra la Meningitis por Hemofilus Tipo B, (HiB1)
3 meses	HBV_2	
4 meses	DpT, Polio HiB_2	
5 meses	HBV3	Última dosis contra la Hepatitis B
6 meses	DpT, Polio, HiB_3	
9 meses	Sarampión	
12 meses	Test de Tuberculosis	Si no ha sido vacunado previamente con la BCG.
15 meses*	SPR, HiB_4	Protege contra el Sarampión, parotiditis y Rubéola.
18 meses	DpT, Polio	
24 meses	Tuberculina	
4 a 6 años	DpT-Polio	Refuerzos
10 a 16 años	Td-Spr	Toxoide tetánico cada 10 años. Refuerzo de sarampión, paperas y Rubéola

* La nueva vacuna contra la Varicela (Lechina) será colocada a los 15 meses.

Desarrollo durante la primera semana de vida

A continuación se describe en forma esquemática el desarrollo psico-motor del recién nacido a término, de 1 semana de vida. Recuerda que todos los bebés son únicos e individuales, por lo tanto si tu hijo no realiza algunas de las actividades señaladas, es probable que lo haga más adelante.

Brazelton (1969) nos habla de *tres tipos de bebés*: los pasivos, los

los promedio y los activos; todos ellos se desarrollan en forma normal y lo realizan con un estilo muy particular.

Es probable que esto constituya uno de los factores que nos hace a todos tan complejos y diferentes; con ello trato de enfatizar que cada bebé tiene su propio ritmo natural de desarrollo, y así como tú eres un factor muy importante en este fascinante proceso (amor, estimulación adecuada, etc.), también debes aprender a reconocer y a valorar sus variaciones individuales.

Tabla de desarrollo
Primera semana

Físico

— Puede levantar la cabeza cuando te lo colocas en el hombro (haz la prueba cuando esté despierto y obsérvalo en el espejo).

— Mueve la cabeza de un lado a otro; puede tener preferencia por un lado.

— Brazos, manos y piernas se mueven básicamente en forma refleja.

— Cuando trates de sentarlo, la cabeza puede írsele hacia atrás o hacia adelante; algunos logran mantenerla levantada en la línea media durante varios segundos.

— Cuando está acostado boca abajo adopta posición de rana y dobla las piernitas, encorvando la espalda.

— Responde a cambios repentinos (ej: ruidos) con todo el cuerpo.

Intelectual

— Para de succionar (chupete, biberón, etc.) para ver u oír algo que le llame la atención.

— Bloquea estímulos externos que lo molesten o no le interesen (ver "habituación").

Sensorio-motor

— Puede ver contrastes y colores brillantes. Preferencia por caras humanas.

49

— Distingue sonidos por el volumen y la agudeza; prefiere sonidos agudos (como la voz de la mujer).

— Las manitos permanecen cerradas sobre el dedo pulgar la mayor parte del tiempo (reflejo palmar).

— Agarra objetos cuando la mano los toca en forma accidental.

— Parpadea ante luces brillantes.

— Es capaz de enfocar y seguir objetos a unos 20 cm de distancia (varía).

— Distingue sustancias amargas, azucaradas, o ácidas (gustativamente).

— Reconoce el olor de la leche materna.

Social

— Parece responder en forma positiva a los sonidos suaves y agudos de los humanos.

— Es único en aspecto, sensibilidad, nivel de actividad y forma de reaccionar a los diferentes estímulos.

— Cuando está alerta puede enfocar la cara y la voz humana (ej: madre hablándole).

— Muestra agrado o descontento, según el estímulo.

Actividades

Las actividades que se describen al final de cada capítulo son meramente sugestiones, y bajo ningún respecto obligatorias; si decides adoptar algunas de ellas es muy importante que recuerdes lo siguiente:

1) Debes ser sensible a las señales del bebé que te digan: "ya es suficiente", o "vamos a cambiar de juego", o "no tengo todavía la edad para esta actividad", o "déjame que lo haga yo solo". Parece una sugestión obvia, pero muchos padres se olvidan de ella y convierten la estimulación adecuada en hiperestimulación, y esta última, en mi forma de ver, no ayuda al bebé en lo absoluto.

2) Introduce las actividades de juego cuando tu bebé esté feliz, descansado, y por supuesto cuando tú también estés con el mismo humor.

3) Respeta el ritmo del bebé (ver "cómo comunicarte con tu

bebé" —ciclos de atención y retirada—), y aprende a esperar su contestación.

4) Recuerda que cada bebé es único y diferente; cada niño tiene su límite de estimulación, y si bien hay unos que se desarrollan adecuadamente cuando se les ofrecen muchas actividades, hay otros más sensibles que necesitan de un ambiente más moderado y tranquilo para hacerlo.

5) Cuando tengas dudas acerca de la conducta del bebé, simplemente obsérvalo; él te dará a entender lo que le sucede y entonces sabrás qué hacer.

6) Ensaya e inventa tus propias actividades, demostrándole siempre al bebé lo mucho que lo quieres y te preocupas por él.

Actividades sugeridas en la primera semana

— *Cárgalo sólo lo necesario*: el bebé necesita mucho amor y que lo carguen en los brazos. Juzga por ti misma cuánto le gusta esto, pues hay algunos que se ponen tensos e irritables cuando los cargan demasiado.

— *Cámbialo de posición*: coloca al bebé en diferentes posiciones cuando esté despierto: de estómago, de espalda, de lado, verás cómo mueve sus brazos y piernas. No le pongas ropa excesiva para que se sienta cómodo.

— *Sonríele*: los bebés parecen captar cuando los padres se están divirtiendo con ellos.

— *Utiliza móviles de contrastes y colores brillantes*: coloca el móvil sobre su cuna a unos 20 cm de altura, de manera que el bebé pueda verlo. Los recién nacidos tienden a voltear la cabeza hacia a un lado más que hacia el otro (80 a 90% del lado derecho), por lo tanto colócale el móvil del lado predominante, o mejor todavía de ambos, así mueve su cabeza en ambas direcciones.

— *Haz el gesto de sacarle tu lengua*: algunos bebés de dos a tres semanas de edad son capaces de imitarte cuando les sacas la lengua.

— *Sonidos*: agita una maraquita en un lado de la cabeza del bebé y luego del otro; haz lo mismo con tu voz, llámalo por su nombre, verás cómo en algunas oportunidades trata de buscar con los ojos y la cabeza el lugar de donde viene el sonido.

— *Colócale tu dedo en la palma de su manito*: ponle tu dedo o una maraquita en la palma de la manito, verás cómo la aprieta.

— *Música*: cántale mientras lo bañas o lo arrullas; ponle música suave y cajitas de música en su cuarto.

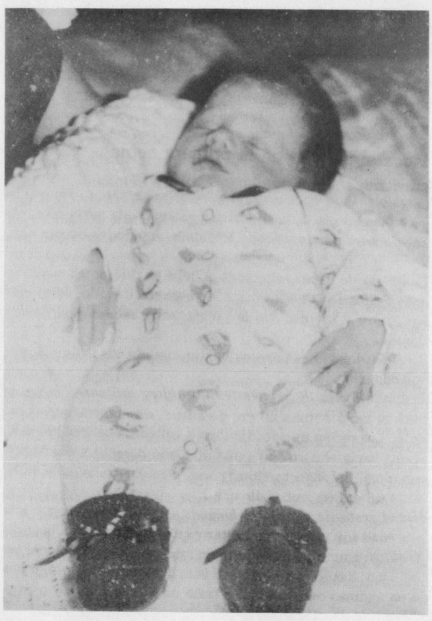

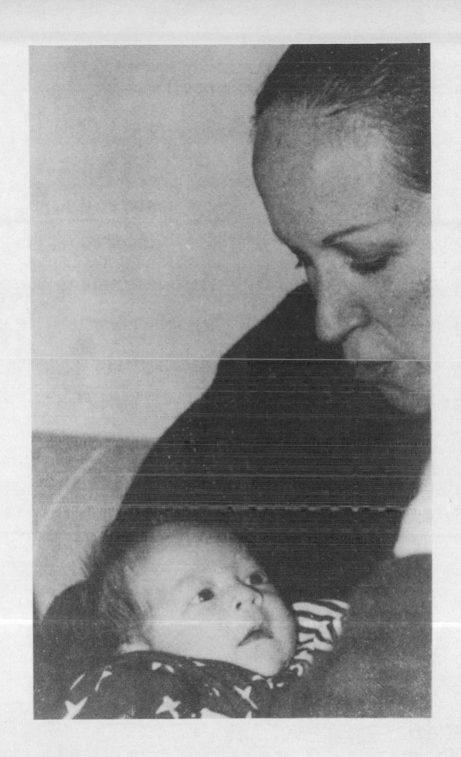

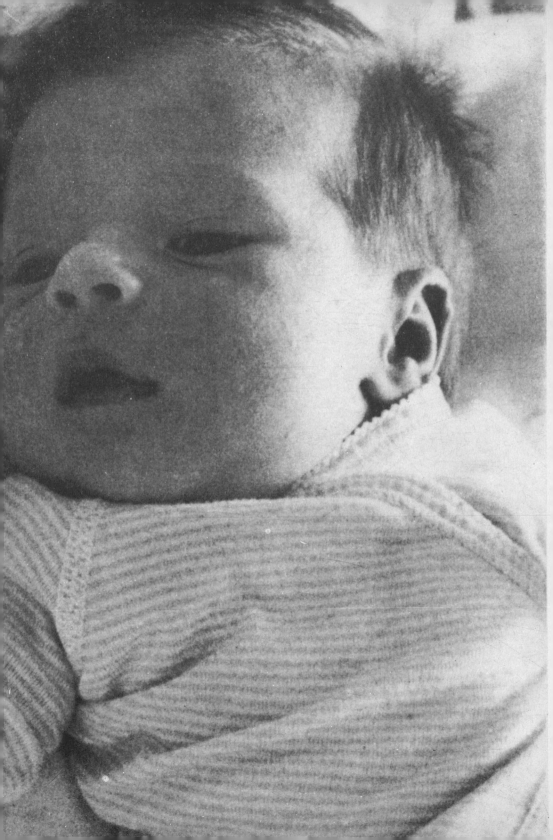

1 un mes
las tres semanas siguientes

1 un mes
las tres semanas siguientes

Es muy probable que cuando leas este capítulo ya te encuentres en casa. Si es tu primer hijo, es normal que te sientas un poco nerviosa o asustada, pues, aparentemente, ya no cuentas con la seguridad y la ayuda que el hospital te ofrecía.

Si no se trata del primero, la experiencia te dará confianza y te facilitará el ajuste y la presentación formal del nuevo integrante al resto de la familia. Sea como fuere, el regreso a casa implica adaptación, tanto para el bebé como para los padres.

Al principio, las mamás se esfuerzan en recordar todo lo sugerido en el hospital, más los innumerables consejos de familiares y amigos. El padre puede sentirse un tanto rechazado, y aquellos que no han tenido contacto previamente con bebés se juzgarán injustamente inadecuados.

Las abuelas, con razón o sin ella, es muy probable que intenten dominar la situación, provocando algunas veces resentimientos generales. Los hermanitos mayores pueden exhibir conductas mixtas en donde se mezclen curiosidad, celos y orgullo. Si a todo esto le sumamos las visitas de amigos y familiares, el resultado puede ser catastrófico. Así pues, es prudente que reduzcas el número de visitas, que te limites a aquellos consejos no sólo llenos de cariño sino también de sentido común, y que por encima de todo *confíes en tus propios instintos*. Recuerda que todos cometemos errores al principio en lo que se refiere a la crianza de un niño; sin embargo, son estos procesos naturales de ensayo y error los que te permitirán conocer mejor a tu hijo.

Durante este primer mes el niño gana alrededor de *600 g*: esto, por supuesto, es una cifra aproximada. *El número de comidas* promedio es de unas 6 a 8 diarias, y *la cantidad de leche* varía de 120 a 150 ml por toma.

El cordón umbilical se le cae a comienzos de la segunda semana, pero hay algunos bebés a los que no se les desprende sino al final de la tercera semana (ver cuidados especiales, cap. 1).

Las fontanelas (áreas blandas en la cabeza) se van cerrando gradualmente hasta los 18 meses de edad aproximadamente; no tengas miedo de tocarlas al bañarlo, peinarlo, etc. Su función es permitir la expansión y el crecimiento del cerebro antes de que se solidifiquen por completo los huesos del cráneo.

Al final del mes tienden a ensuciar los pañales de 5 a 6 veces por día. El color de *las heces* varía de amarillo oro a marrón; depende de si le estás dando pecho o fórmula; en algunas oportunidades pueden salir verduscas o con pedacitos de leche cortada (leche mal digerida). No te obsesiones con los colores, pues hay toda una gama y no siempre reflejan problemas. Las heces y la regurgitación que se observan en bebés alimentados con leche materna son menos olorosas que las presentes en aquellos alimentados con leche de vaca o con fórmulas. En cuanto a la consistencia, tienden a ser blandas o a veces semilíquidas; en poco tiempo conocerás cuál es la consistencia usual de las de tu bebé, y si por acaso notas una diferencia exagerada (muy duras o muy blandas), que incluya cambios en la frecuencia usual de emisión, consulta con tu médico.

Problemas más frecuentes

A continuación voy a resumir algunos de los problemas más comunes con los cuales pueden enfrentarse los padres durante este primer mes:

— *Pañalitis*: la gran mayoría de estas irritaciones son producto del uso de los pañales y de las bombachas* de goma cuando se dejan puestas por mucho tiempo, ya que mantienen la humedad, el amoníaco de la orina y las heces en contacto con la delicada piel del bebé. Si a tu hijo/a le aparece esta frecuente dermatitis, mantén el área que cubre el pañal lo más seca y limpia posible; cámbialo frecuentemente y déjalo acostado sobre su pañal pero sin ajustárselo, de manera que el aire y la luz faciliten el secado de las lesiones. Colócale una fina capa de crema con óxido de cinc, o con vaselina, para que la protejas contra la humedad. Si pese a todas estas medidas no logras disminuir la irritación en el transcurso de una semana, consulta con el médico.

— *Resfriados*: algunos bebés se resfrían y se les obstruye la nariz durante su primer mes de vida. Si lo notas triste, desinteresado, con falta de apetito, y letárgico, aunque no tenga fiebre, consulta con tu médico.

Una buena adquisición en estos casos es la "perita nasal", con la cual puedes aspirarle el moco excesivo, sobre todo antes de darle de

* Ver Glosario.

comer. Otra recomendación práctica es la de elevarle un poco la cabecera de la cuna, pues esto le facilita la respiración.

A continuación describo la manera correcta de tomarle la temperatura a los niños en general: la temperatura no debe ser tomada en la boca, hasta que los niños tengan capacidad de entender que no deben morder el termómetro.

El lugar ideal lo constituye la axila (debajo del brazo), o el recto. Si le tomas la temperatura debajo del brazo debes dejarle el termómetro durante 5 minutos (asegúrate de bajar el mercurio por debajo de 36 grados); si se la tomas en el recto lubrica la punta con un poco de vaselina, coloca al bebé boca abajo sobre tus piernas, y separándole las nalguitas con una mano, introduce el termómetro suavemente, no más de 1 centímetro y medio, y sosteniéndolo durante 1 minuto. Temperatura rectal por encima de 38,3° C es considerada como *fiebre*. Cuando llames al médico, infórmale la temperatura y el sitio en donde se la tomaste (varía), él te dará cualquier otra indicación pertinente al caso.

Recuerda que existen dos tipos de termómetros, uno rectal (mas fuerte), y otro oral (más frágil); nunca trates de usarlo en sitios diferentes del indicado, pues si se quiebra podrías causar serias complicaciones.

—*Constipación*: durante las dos primeras semanas, lo común es que las heces del recién nacido sean blandas. Sin embargo, algunos bebés pueden constiparse (heces duras), y esto se caracteriza por dificultad y llanto a la hora de defecar. Si a tu nene le sucede esto, consulta con el médico, ya que existen varios tratamientos para este problema.

—*Hipo*: a muchos bebés les da hipo después de comer; no te alarmes, ya que por lo general se les quita solo, al cabo de 5 a 10 minutos. Si lo deseas, trata de sacarle bien los gases, o entonces ofrécele un poco más de leche o de agua estéril.

—*Caída del cabello*: es muy frecuente que durante estas primeras semanas al recién naçido se le caiga el cabello poco a poco; no te preocupes pues es algo normal, posteriormente verás cómo le crece de nuevo.

—*Costras en la cabeza*: aunque estas costras tienden a aparecer más tarde (5 a 6 semanas), aprovecho mencionarlas este mes para que no te tomen desprevenida. Dichas costras son el resultado de un aumento normal en la actividad de las glándulas sebáceas del bebé, son de color amarillo y se encuentran adheridas al cuero cabelludo, recordándonos la caspa del adulto. El proceso en sí no tiene más importancia que la estética, y es fácil de corregir colocándole aceites de bebé sobre las escamitas, dejándolo varios minutos, para luego lavarle bien la cabeza con un champú, cepillándola bien hasta que las costras se desprendan; un cepillo de dientes con cerdas suaves es muy práctico en estos casos. Las escamas duran a veces más tiempo, porque los padres tienen miedo de frotar las partes blandas de la cabeza (fontanelas); lo cierto es que aunque el masaje con la yema de los dedos sea fuerte, esto no afecta en lo absoluto al bebé y es necesario para que las costras se desprendan. Lo usual es que desaparezcan en dos o tres lavadas.

—*Vómitos y regurgitación (buches)*: la gran mayoría de los recién nacidos, y bebés más grandecitos, vomitan o regurgitan después de comer; esto, dentro de ciertos límites, es normal, y se explica en parte por una inmadurez del esfínter gastroesofágico del niño. Para que disminuya esto procura sacarle bien los gases, y luego colócalo semisentado sobre su lado derecho (facilita el vaciado del estómago) durante media hora después de las comidas.

—*Obstrucción del conducto lagrimal*: otra afección menos frecuente (2-6%) es la obstrucción del conducto lagrimal; como resultado, las lágrimas no son conducidas a la nariz como normalmente sucede, y el o los ojitos aparecen llorosos. No se trata de algo serio, pero debes notificárselo al médico, quien seguramente le mande gotas de agua estéril, antibiótico local y un masaje firme, que comienza en el ángulo interno del ojo (sobre la nariz) y se dirige hacia abajo, siguiendo el trayecto natural del conducto; este tratamiento (2 veces al día), por lo general es suficiente para resolver la obstrucción. En algunos casos hay que prolongarlo hasta los ocho meses de edad.

—*Pechos y sangrado vaginal*: los pechitos, tanto en los varones como en las mujeres, pueden inflamarse y ponerse duros. Algunas veces puede inclusive salir un poco de leche, esto es normal y desaparece espontáneamente, no trates de apretarlos o exprimirlos pues podrías provocar una inflamación.

Las mujercitas a veces presentan una hemorragia vaginal discreta durante su primera o segunda semana, también se considera normal; ambos procesos son ocasionados por el paso de hormonas maternas al feto en el embarazo a través de la placenta, y se resuelven solos.

—*Celos*: los hermanitos no siempre aceptan con agrado al nuevo integrante de la familia; después de todo, ellos sienten que llegaron primero y que misteriosamente ya no constituyen el centro de atracción de sus padres. Al·mismo tiempo, ven su territorio tanto físico (cuarto, juguetes) como afectivo (cariño, atención) invadido. Así pues, no es extraño que algunos niños presenten conductas regresivas como por ejemplo: que deseen el biberón de nuevo, comiencen a chuparse el dedo, mojen la cama, se pongan más negativos o les den rabietas. Todo esto es normal dentro de ciertos límites, y requiere mucha comprensión por parte de los padres.

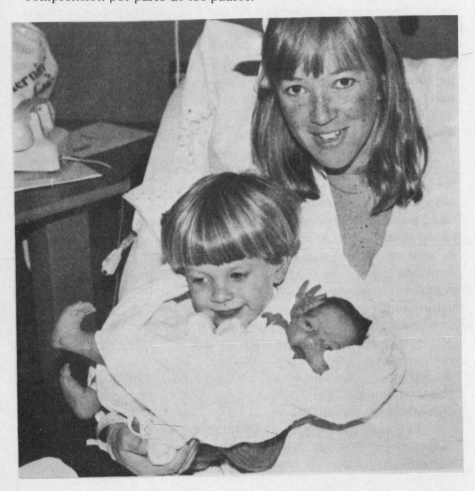

A menudo tratarán de agredirte directamente, o te ignorarán por completo; no te sientas herida ni te pongas brava, piensa que para él, o ellos, es duro e incomprensible el tener que compartir lo que más quieren. Trata de dedicarles cierto tiempo durante el día, exclusivo para ellos; permíteles que participen, en forma sencilla, de los cuidados diarios del bebé, pero sin hacerlos responsables.

Algunas veces, el darles un regalito de parte del nuevo bebé parece facilitar la bienvenida. En pocas semanas, con afecto, cariño y firmeza, los celos desaparecerán.

—*Labio superior*: a muchos bebés les sale una ampollita en el labio superior, como resultado de la fuerza con que succionan. No hay por qué preocuparse pues se cura espontáneamente.

—*Rasguños*: si notas pequeños rasguños en la cara o en el cuerpo del bebé, significa que es tiempo de cortarle las uñas. El mejor momento es cuando estén dormidos, con una tijera pequeña de puntas redondeadas; no se las cortes demasiado.

El llanto y su evolución normal

De nuevo te recuerdo que el llanto en los bebés es inevitable, y que lo debes considerar como parte de su proceso de organización. Al final del mes ya tendrás más claro su patrón de llanto, y te será

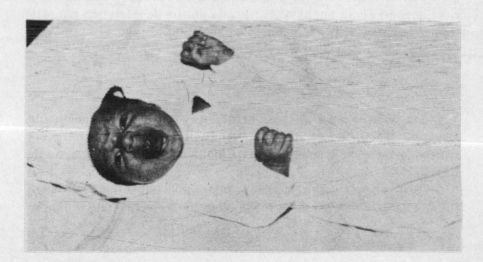

fácil comprenderlo (hambre, pañales húmedos, dolor, inquietud, etc.)

Trata en lo posible de no perder la calma; utiliza la técnica sugerida en el primer capítulo e improvisa tus propias maniobras para arrullarlo y tranquilizarlo en sus períodos de tensión. Piensa siempre que *esto es pasajero*, y que el llanto también disminuirá a medida que el niño crece y maduran sus sistemas.

Es probable que los nuevos padres se sorprendan de la resistencia y duración con que llora el recién nacido. Asimismo, después de haber vivido con él una semana, ya se habrán dado cuenta de lo difícil que es ignorar su llanto, pues es fuerte, con sentimiento, y parecería competir y ganarle a todos los sonidos restantes del ambiente.

El llanto es un *fenómeno* normal y frecuente en los recién nacidos sanos. En un estudio realizado por T. B. Brazelton (*Pediatrics*, 1962) con 80 neonatos, sobre la duración y regularidad con que lloraban estos niños durante los tres primeros meses de vida, se llegó a la siguiente conclusión: en la segunda semana los bebés lloraban un promedio de 1,75 horas al día; con un pico máximo a las seis semanas de 2,75 horas por día, y una nivelación a las doce semanas de 1 hora por día. *Las horas en que más lloraban* estos bebés eran entre las 6:00 y las 11:00 pm, y un cierto número de ellos lo hacían en la madrugada entre las 4:00 y las 6:00 am, o aun más tarde en la mañana entre las 10:00 y las 12:00 pm (véanse gráficos).

Espero que estos datos tranquilicen a los padres y los ayuden a controlar la ansiedad a veces injustificada que produce el oír llorar a sus hijos, así como también les sirva de patrón de referencia para entender cuándo el llanto es realmente exagerado.

El chupete *

Las manitos son el chupete natural de los bebés; es emocionante ver cómo algunos recién nacidos, cuando lloran, logran muchas veces llevarse la manito a la boca, y de esta manera se controlan dejando de llorar.

Ciertos bebés requieren más tiempo para chupar que el ofrecido durante las comidas, así pues, si tu hijo pertenece a este grupo, no du-

* Ver Glosario.

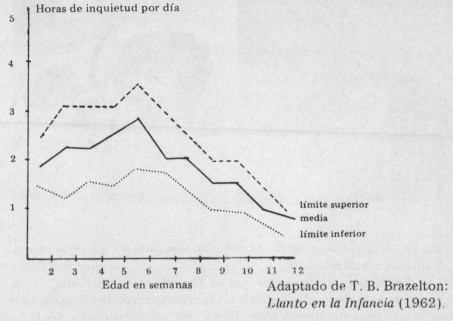

Adaptado de T. B. Brazelton:
Llanto en la Infancia (1962).

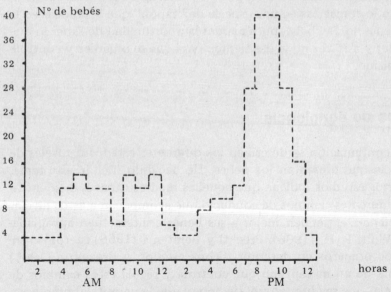

Horas del día en que ocurre la inquietud
en bebés de 3 semanas de edad.
Adaptado de T. B. Brazelton (1962).

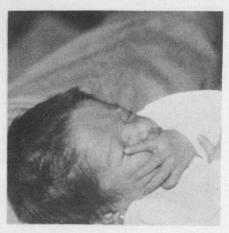 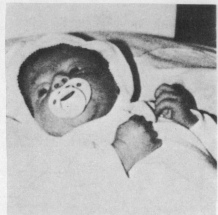

des en ofrecerle un chupete de tamaño adecuado ya que ésta es una forma clásica de relajarlos.

Existe poca evidencia de que un chupete, bien diseñado, afecte el crecimiento de los dientes o de los maxilares antes de los seis meses de edad. Trata de que no reemplace en toda las ocasiones a sus deditos, y no lo conviertas en una especie de "tapón" que le colocas en la boca apenas llora el bebé, pues pierdes la oportunidad de saber lo que le sucede, y a la vez no le das tiempo para que se organice y controle por él mismo.

Estados de conciencia

A continuación se describen los diferentes estados o niveles de conciencia que presentan los bebés. He decidido incluir este tema, pues varios estudios indican que aquellas madres capaces de identificar los diferentes cambios de conducta que acompañan a estos niveles de conciencia entienden mejor a sus bebés e interactúan apropiadamente. Wolff P. H. (1966), Prechtl y Beintema (1968) fueron, entre otros, los primeros en describir dichos estados, y Brazelton (1961) nos habla de un mecanismo que controla y regula estos cambios de conciencia, que madura con el tiempo, y que le permite al niño organizarse y obtener más control sobre sí mismo.

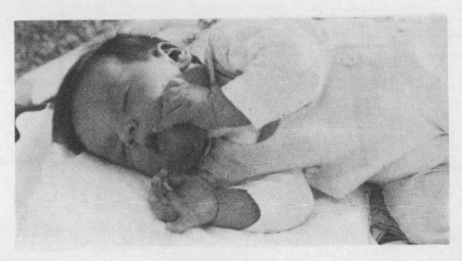

Sueño profundo

Los estados de conciencia descritos en la escala de Brazelton son seis:

1) *Sueño profundo*: en este estado, los bebés tienden a respirar en forma regular, los ojos los mantienen cerrados y no hay movimientos del cuerpo, con excepción de algunos sobresaltos a intervalos regulares. Otro detalle es que si nos fijamos en sus párpados, no se observan movimientos de los ojos debajo de ellos. Cuando un bebé duerme profundamente es difícil despertarlo; en otras palabras, hacer que cambie a un estado diferente.

2) *Sueño ligero*: Este nivel se caracteriza por movimientos irregulares del cuerpo y sobresaltos ocasionales. La respiración es irregular, alternando inspiraciones profundas con algunas superficiales. Con frecuencia realizan movimientos de succión de su propia lengua, y si observas con cuidado notarás cómo se mueven sus ojos rápidamente debajo de los párpados (REM).

En estos momentos es más fácil despertar al bebé, y es probable que ciertos estímulos lo lleven a un cambio de conciencia.

3) *Semidormido*: este nivel es fácil de identificar, pues el niño se encuentra con los ojos semiabiertos, los movimientos del cuerpo son lentos, y pueden responder con sobresaltos a la estimulación externa. El bebé presenta una mirada vaga, y no se encuentra realmente listo para procesar ninguna información, o sea, para interactuar contigo.

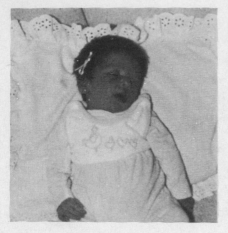

Sueño ligero

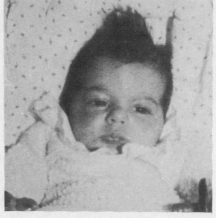

Semi-dormido

4) *Alerta tranquilo*: en estos momentos, el recién nacido se encuentra con sus ojos muy abiertos, mirada brillante, se concentra en tu cara o en un determinado objeto que le enseñes por delante y que pueda enfocar. Si está chupando, deja de hacerlo y prácticamente se queda inmóvil, como estudiando lo que está viendo. Este es el momento ideal para interactuar con él, ya que cualquier estímulo (visual, auditivo, etc.) llega con facilidad.

Alerta tranquilo

Alerta activo

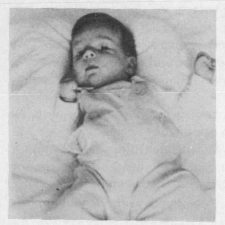

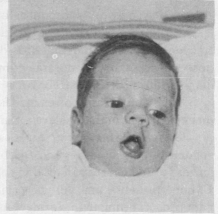

5) *Alerta activo*: en estos momentos el bebé no le presta atención a nada en particular; sus ojos están muy abiertos viendo sus alrededores, y su cuerpo se mueve activamente acompañado de breves vocalizaciones y algunos sobresaltos.

6) *Llanto*: este nivel se caracteriza por una gran actividad motora; el bebé llora intensamente. Se trata de un estado muy desorganizado, y a veces es difícil romperlo con estímulos externos.

Si logras identificar estos estados en tu hijo, te darás cuenta de que es más fácil comprenderlo, y poco a poco entenderás la forma de ayudarlo a que no pase bruscamente de un nivel a otro, y de que aprenda por él mismo a dominar este sutil mecanismo. El tiempo (madurez) es un factor muy importante en este proceso de control,

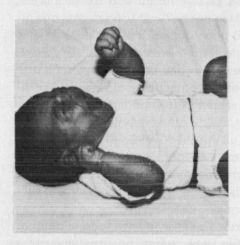

Llorando

pero si los padres están conscientes de estos cambios mencionados le facilitarán, sin duda, el trabajo a su bebé.

Para terminar, es bueno recordarles que todos los bebés son únicos y diferentes, y por lo tanto habrá algunos que nacen con una capacidad superior para regular estos estados; en estos bebés los niveles de conciencia son fáciles de identificar, son claros, y el paso de uno a otro es suave y predecible.

En el otro extremo están aquellos bebés que, por una razón u otra (prematurez, bajo peso, enfermedad, etc.), tal vez no tengan tanta capacidad para autorregularse, y necesiten de un ambiente más propicio que les facilite su control. En estos casos extremos, el niño sube y baja de nivel abruptamente, son difíciles de comprender, y les cuesta considerablemente permanecer en un mismo estado, como por ejemplo el de alerta, sin que los interrumpa su propia actividad motora o cualquier estímulo (externo o interno).

Entre ambos extremos se encuentra una infinita variedad, en donde desfilan probablemente la mayoría de los bebés. Está en los padres reconocer la posición del suyo, de forma tal que ambos se entiendan mejor.

Ciclos de sueño

Una de las preguntas que los padres hacen con frecuencia es: "¿Cuándo duermen los bebés toda la noche?"; el tono de voz que algunos utilizan refleja claramente lo poco que se descansa durante esas primeras semanas. El recién nacido tiene *ciclos de sueño de aproximadamente 3 a 4 horas*, en donde se alternan períodos de sueño profundo con sueño ligero (ver estados de conciencia); al final de este ciclo, los bebés pasan a un estado semialerta y comienzan a chuparse las manitos, algunos lloran, o si se trata de niños más grandecitos mueven la cabeza de un lado a otro en forma rítmica. El recién nacido utiliza estas pausas para que lo alimenten, pero a medida que transcurre el tiempo y aumenta la madurez de su sistema nervioso, el bebé aprende a dormirse de nuevo, y pasa de este estado semialerta al sueño liviano o al profundo nuevamente.

Hay recién nacidos que duermen prácticamente todo el tiempo, y parecería que se despertaran sólo para comer, mientras que otros tienden a mantenerse más alerta desde el comienzo.

Parmelee (1964) demuestra en un estudio con 46 neonatos, que *el tiempo promedio de sueño era de 16 a 20 horas diarias*. El horario que adopta el bebé (patrón de sueño) es fácil de entender cuando tiene aproximadamente 1 mes y medio; sin embargo, la capacidad para mantenerse dormido por largos períodos, sin interrupciones, está muy relacionada, como ya mencionamos, con la madurez de su sistema nervioso, y no depende exclusivamente del aumento de peso o de la introducción temprana de alimentos sólidos. Es muy típico en nuestro medio el deseo de agregarle cereales al biberón en este primer mes, con la idea equivocada de que el niño va a dormir toda la noche.

En los estudios de Moore y Ucko (1957), el *70% de los bebés dormían 8 horas seguidas a los tres meses de edad*. Trabajos más recientes nos revelan resultados similares pero a los cuatro meses; sea como fuere, este aumento gradual de la duración del sueño es importante, tanto para los padres como para el bebé, ya que les permite por fin descansar de noche.

A continuación les presento una tabla, donde aparecen respectivamente el número de horas de sueño y siestas promedio durante el primer año:

Edad	p.s.m.l. *	N° de siestas	Total horas sueño/día
1 mes	4 horas	. . . .	16 a 20
2 meses	6-7 "	. . . .	16
3 "	7-8 "	4	15
4 "	8 "	4	15
5 "	8 "	3	15
6-11 "	12 "	2	14
12 "	12 "	1	14

* períodos de sueño más largos.
(Los valores que aparecen en la tabla son aproximados, y no reflejan necesariamente el horario de tu bebé.)

Bebés hipersensibles

Existe un porcentaje pequeño de bebés, que la mayoría de las veces *reaccionan en forma exagerada* ante estímulos externos como la voz, luz, imágenes, cambios de pañal, baño, etc. Si tratas de cargarlos, se ponen rígidos y arquean la columna como tratando de alejarse de uno; si tratas de arrullarlos, comienzan a extender y flexionar los brazos en forma rápida y desorganizada como si estuvieran asustados, para terminar llorando en forma inconsolable. Si los miramos directamente a la cara y les hablamos como lo haríamos normalmente con otro bebé, inmediatamente voltean el rostro, cierran los ojitos, y de nuevo extienden la columna hacia atrás y se alejan, evitando de esta forma nuestra mirada. Cada vez que tratamos de interactuar con este tipo de bebés pareciera que nos distanciáramos de un contacto social en vez de acercarnos.

La causa exacta de esto no se conoce, y es probable que sean va-

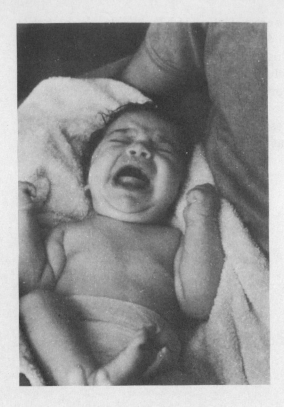

Bebé hipersensible

rios los factores que contribuyan a esta conducta peculiar.

Los bebés que entran en este grupo son, por lo general, de bajo peso en relación con su edad gestacional (meses de embarazo); muchas de estas madres tuvieron complicaciones durante su estado, como infecciones, hemorragias, desnutrición, o fumaban o bebían en exceso; los problemas a veces se describen durante el parto, o a menudo en el período perinatal.

Como ya dijimos, el origen de esta hipersensibilidad no está claro, pero sí lo está el efecto que algunas de las conductas de este tipo de bebés tienen sobre sus progenitores. Lo primero que piensan los padres de un bebé hipersensible es que son ellos los que tienen la culpa, fallaron, pues no saben cómo llevar al niño. Con el tiempo, muchos de estos padres llegan a perder la paciencia y se enfurecen con la pequeña criatura a la cual no pueden comprender, y que los hace sentir inútiles e incapaces de llevar adelante su tarea de padres.

Aquellas madres que ya tienen hijos encuentran *diferentes* a este grupo de bebés, ciertamente difíciles pero manejables, ya que los comparan automáticamente con los otros, y, con la experiencia, tienden a ser menos ansiosas. Por otro lado, las mamás recién graduadas no tienen este punto de comparación, y a algunas está exagerada sensibilidad de sus bebés les transforma el proceso inicial de adaptación en algo difícil y a menudo frustrante.

¿Qué hacer en estos casos? lo primero que tenemos que entender es que el grado de hipersensibilidad varía considerablemente de niño a niño; por lo tanto, es importante determinar las situaciones en las cuales se observan conductas como las descriptas, y qué cantidad de estimulación es necesaria para desencadenarlas. Asimismo, debemos comprender que con el tiempo la madurez del sistema nervioso, sumada a los cuidados maternos y a un ambiente adecuado, serán los mejores aliados que tendrá el bebé en el difícil proceso de organización, que finalmente lo conduzca a dominar su hipersensibilidad.

Muchos especialistas en desarrollo infantil recomiendan en estos casos facilitarle al bebé un ambiente donde los estímulos sean controlables, parcialmente, por él y por su mamá. En otras palabras, si la madre nota que el hablarle directamente a la cara lo obliga a rechazarla (voltearle el rostro, cerrarle los ojitos, etc.), no porque no la quiera, sino porque le es difícil todavía captar la estimulación de su voz y de su cara al mismo tiempo, es bueno que le ofrezca sólo el rostro, que lo observe y, gradualmente, si el bebé lo permite, le comience a hablar bajito mientras se fija en sus reacciones. Este ejemplo se puede generalizar a otras situaciones como: la cantidad de luz y ruido en el ambiente, la suavidad con que se carga, se baña, o se le cambian los pañales, etc. Asimismo, a la hora de darles la comida, estos bebés requieren muchas veces estar en un sitio tranquilo, pues con frecuencia les cuesta más concentrarse para chupar el alimento, se llenan de gases, y regurgitan con facilidad lo tomado.

El bebé hipersensible necesita muy a menudo satisfacer su deseo de succión, por lo tanto te sugiero que le dejes sus manitos siempre descubiertas, de manera que pueda chupárselas y así recuperar el control perdido cuando llora. Si te parece conveniente, consíguele un chupete de tamaño adecuado y úsalo cuando sientas que lo necesite.

Muchos de estos bebés dominan el llanto excesivo a los tres meses aproximadamente, y tienden a reaccionar ante ciertos estímulos ambientales con un aumento en su actividad motora, en vez de llorar como lo hacían antes. Al crecer, algunos de ellos pueden tener problemas para concentrarse pues se distraen con facilidad ante cualquier situación nueva.

Para finalizar con este importante tema, es bueno que recuerden lo dicho en páginas anteriores cuando hablamos sobre hiperestimulación, pues estos bebés son particularmente vulnerables a ella.

Estimulación adecuada

Como ya he dicho en páginas anteriores, *todos los niños son únicos y diferentes*; cada uno desarrolla patrones de sueño, hambre, llanto y actividad motora muy particulares; así pues, no hace falta que compitas con el bebé de la vecina porque es casi seguro que no se le parezca mucho.

Durante el primer mes la conducta del recién nacido empieza a cambiar; algunos se muestran muy activos·y ruidosos, mientras que otros lucen más tranquilos y fáciles de complacer. Todo comienza a interesarle, y a medida que los músculos de sus ojos se desarrollan, aumenta la capacidad para seguir objetos brillantes y contrastantes. Las voces humanas agudas los atraen, y es sorprendente cómo reconocen y prefieren la voz materna.

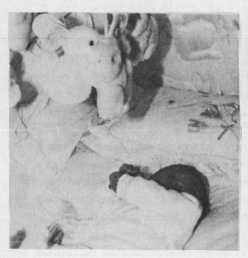
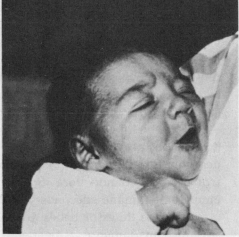

Aunque el bebé es todavía muy pequeño y gran parte de sus conductas son gobernadas por reflejos, no es demasiado temprano para iniciar lenta y suavemente formas adecuadas de estimulación. Piensa que al alimentarlo ya le estás ofreciendo gustos, olores, tacto, actividad visual y auditiva. Su pequeño cerebro ya comienza a acostumbrarse a recibir todos estos impulsos, y poco a poco aumenta su nivel de entrada y respuesta al fascinante mundo exterior que lo atrae y estimula.

Móviles y música suave continúan siendo muy apropiados para esta edad. Algunas madres exageran el juego con sus bebés, y piensan que cuando están despiertos es necesario mantenerlos distraídos todo el tiempo; esto no es, probablemente, lo más deseable, ya que si no se fijan límites es fácil sobreestimularlos y entonces nos responderán con algunas de las conductas ya mencionadas en la primera semana. Me parece lógico ofrecerles estímulos, pero no imponérselos, de esta forma les damos chance a que sea el niño el que gradualmente controle la entrada de los mismos.

Durante este mes es probable que tu bebé ya te haya sonreído; la evolución de esta indudable respuesta social va desde la sonrisa refleja, cuando están dormidos, a las verdaderas sonrisas en donde participan la boca, los ojos y la cara entera. Las caricias, la voz de la madre, la satisfacción que sienten después de comer, vienen muchas veces acompañadas de esta maravillosa expresión.

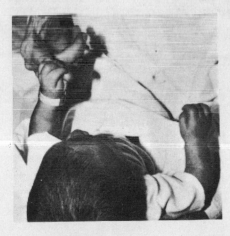

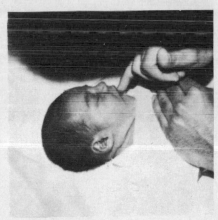

Reflejo palmar   *Reflejo de succión y orientación*

Los reflejos más importantes

A continuación voy a describir algunos de los reflejos más importantes del recién nacido para que de esta manera lo conozcas todavía mejor:

Reflejo palmar: si le colocas tu dedo en la palma de su mano, verás cómo la cierra con fuerza a veces suficiente como para levantarlo. Algunos bebés utilizan este reflejo para mantener el pezón de la ma-

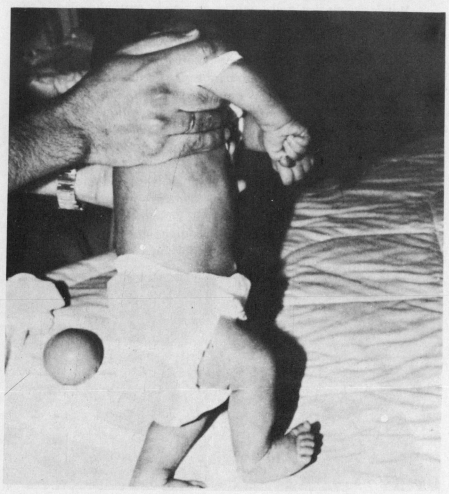

Marcha refleja

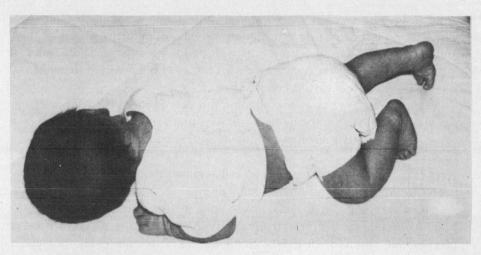

Gateo reflejo

dre en posición. No es extraño que agarren objetos que le rozan sus manitos, si se les da la oportunidad (Bower, 1977).

A los 2 meses de edad las manos permanecen abiertas casi todo el tiempo. A los 3 meses este reflejo es reemplazado por movimientos voluntarios, en los cuales el bebé cierra y abre sus manitos cuando lo desea.

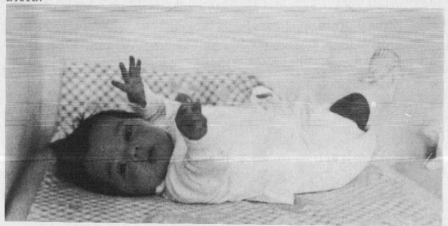

Reflejo de Moro

75

Reflejo de succión y orientación: cuando le colocamos el dedo pequeño en la boca se desencadenan movimientos automáticos de la lengua, labios y faringe que chupan el dedo con fuerza. Del mismo modo, si le rozamos la comisura de los labios el bebé voltea la cabeza y trata de encontrar el dedo con su boca.

Marcha refleja: si lo sostenemos por el tronco en posición vertical y permitimos que toque con sus pies una superficie plana, observaremos cómo sus piernitas se mueven alternando pasos como si estuviera caminando.

Este reflejo desaparece a las 5 ó 6 semanas de nacido y es suplantado por esfuerzos voluntarios para caminar.

Gateo reflejo: si lo colocamos boca abajo sobre una superficie plana, observaremos cómo realiza movimientos con los brazos y las piernas que simulan un gateo. Si deseas hacerlo más evidente, haz presión sobre la planta de los pies con la palma de tu mano y verás cómo inclusive se empuja y se desplaza hacia adelante.

No es sino a mediados del año cuando este reflejo pasa a ser voluntario.

El reflejo de Moro: si sostenemos al niño en los brazos, como en la foto al pie de la pág. anterior, y de repente dejamos caer la mano que sostiene la cabecita, agarrándola de nuevo con rapidez, observaremos cómo el bebé extiende los brazos y luego los flexiona bruscamente.

Este reflejo desaparece antes de los 6 meses, aproximadamente.

Estos y otros muchos reflejos tienden a ser suplantados por movimientos voluntarios durante el primer año de vida; el significado de los mismos no está del todo claro, pero la presencia o ausencia de algunos de ellos durante este primer año puede tener implicaciones de carácter médico muy importantes.

Rol del padre

La historia nos hace ver a los hombres como fuentes de trabajo, de fuerza, y de protección dentro del cuadro familiar; raramente aparecemos cargando a nuestros hijos, abrazándolos o alimentándolos.

Podríamos preguntarnos ¿por qué sucede esto?; la respuesta podría ser que los cuidados del niño han sido arbitrariamente asignados a la mujer, y debido a esto, aquellos padres que se acerquen demasiado a dichos cuidados son catalogados automáticamente de femeninos, o en el mejor de los casos, de "excesivo buen padre".

Por otro lado, en el mundo de hoy, en donde la mujer ha decidido "liberarse" e ir a la calle a trabajar y a competir por puestos, a veces de una responsabilidad inmensa, con horarios a tiempo completo, trae como resultado que muchos de los niños de estas familias crez-

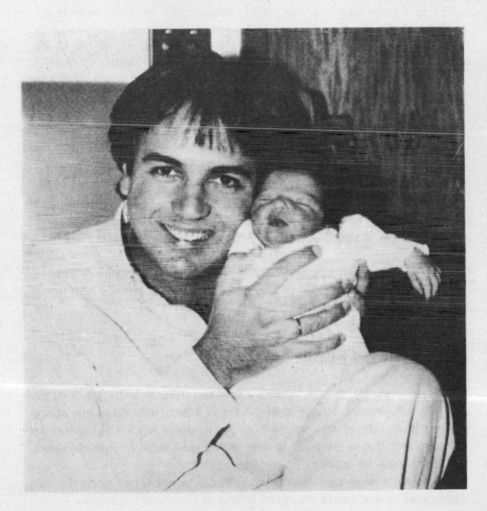

can en manos de personas que no son necesariamente las más capacitadas para brindarles la atención y el cariño requeridos.

Por lo tanto, si los padres pierden la oportunidad de criar a sus hijos es poco probable que éstos se unan a ellos, se identifiquen, y en última instancia se sientan seguros, y al crecer lleguen a una final autonomía que tuvo su origen en una base afectiva sólida.

El problema es todavía más complejo en las familias divorciadas, o en aquellas en que uno de los padres ha fallecido, o simplemente abandonó el hogar.

Si a todo esto le sumamos los numerosos casos de "machismo" en donde el hombre tiene hijos con dos o más mujeres, sin poder ofrecerles un apoyo económico y afectivo adecuado, de nuevo son los niños los que pagan el precio de una estructura familiar deficitaria.

Un hogar bien organizado, en donde el padre y la madre se ayuden mutuamente, compartiendo las alegrías y frustraciones que trae el criar a sus hijos, es todavía algo irreal en un sector amplio de nuestra población. Las causas de esto son múltiples y complejas, y por desgracia somos los hombres los que muchas veces provocamos el desequilibrio, al no integrar nuestras actividades con las de ellos desde su mismo nacimiento. Si nos olvidáramos un poco de ese "machismo" exagerado que nos inculcaron desde pequeños, y aprendiéramos a acercarnos y a conocer mejor a nuestros hijos, disfrutando de cada avance en su desarrollo, es muy probable que se beneficie toda la familia.

El rol que tuvieron los padres una generación atrás ha cambiado, las necesidades del mundo de hoy lo exigen, y el resultado sólo puede ser una sociedad mejor.

Depresión posparto

Antes de empezar a describir este importante tema, quisiera dejar claro la diferencia que existe entre la *hipersensibilidad* que aparece normalmente en casi un 80% de las mujeres, en los siguientes 10 días posteriores al parto, y la *depresión*, más seria, que puede sobrevenir después del mismo.

En el primer caso (hipersensibilidad), se considera normal y casi universal el que exista una gran labilidad emocional, debido a la cual muchas madres reaccionan en forma exagerada, riéndose, llorando, o con cambios en el humor difíciles de entender, por el solo hecho de pensar en algo que no les guste, les produzca miedo o por el contrario les agrade mucho. Se trata de una hipersensibilidad frecuente, de corta duración, y por lo general sin mayores consecuencias.

El segundo caso (depresión) lo describo a continuación, y si bien puede que nunca te suceda, pues el porcentaje es relativamente bajo (3 a 23%), me parece interesante que estés en capacidad de reconocer los síntomas.

Miles de mujeres han sentido lo que llamamos depresión después del parto; la causa de este fenómeno no se conoce cabalmente; sin embargo, algunos investigadores sugieren que existen factores físicos, así como psicológicos, envueltos en el proceso. Las mujeres sufren numerosos cambios fisiológicos durante los 9 meses del embarazo, y horas o días después del parto, los cambios mencionados retornan rápidamente a su estado original. Estas alteraciones bruscas en un lapso tan corto, contribuyen a desequilibrar el estado emocional de las mamás.

La duración de esta depresión puede variar de días a meses, y si sumamos la responsabilidad que implica el criar a un bebé, alimentándolo, tranquilizándolo cuando llora, bañándolo, ayudando a los hermanitos mayores a adaptarse al nuevo integrante, y en muchas oportunidades ocupándose de las tareas del hogar o del trabajo, puede convertirse en un verdadero caos que no le permite a la madre recuperarse, y contribuye indudablemente al cuadro depresivo.

Sé que lo descrito podría parecerle exagerado a algunas personas; sin embargo, en la práctica muchas madres se ven envueltas en esta situación y a veces no saben cómo salir de ella.

Algunos de los síntomas que clásicamente se describen en este síndrome depresivo son: insomnio (dificultad para dormirse), fatiga continua, falta de apetito, pobre autoestima (la madre se siente incapaz e inadecuada para ejercer sus funciones de mamá), pesimismo acentuado descrito algunas veces como "me siento cayendo en un abismo de donde no puedo escapar".

Afortunadamente todo esto es temporal, y no quiere decir que la mamá esté loca o algo por el estilo; lo que está sintiendo es real, y constituye una mezcla de agotamiento físico con tensión emocional. El consuelo de estas madres lo constituye el que no son las únicas mujeres afectadas, y que muchas de ellas han pasado por esto, saliendo victoriosas y optimistas.

Es probable que se pregunten cómo prevenir o recuperar a una persona cuando entra en ese estado; la solución no es sencilla; sin embargo, algunos autores sugieren lo siguiente:

1) *Expresar los sentimientos*: estos no son momentos para reprimir los pensamientos; hablar con amigos y familiares cercanos puede ayudar considerablemente. Si es necesario se consultará con un especialista (psicólogo o psiquiatra).

2) *Relajamiento*: el descanso físico es fundamental para obtener el equilibrio emocional. Cada vez que el bebé esté dormido, la mamá debe tomarse 20 minutos para ella y practicar la siguiente técnica de relajación:

a) estando en su cuarto, cerrar las cortinas y acostarse en su cama lo más cómoda posible.

b) colocar una almohada debajo de la cabeza y parte de los hombros, y otra debajo de las rodillas, flexionando las piernas ligeramente.

c) luego cerrar los ojos suavemente y relajar cada parte de su cuerpo; relajar las mandíbulas, ordenarle mentalmente a los brazos y piernas que se relajen, y así con el resto del cuerpo.

d) colocar las manos descansando sobre al abdomen.

e) una vez que todo el cuerpo esté relajado, y pueda sentir cómo pesan las diferentes partes del mismo, la persona se concientiza de sus propias respiraciones y trata de poner la mente en blanco; si consigue dormirse es lo ideal.

3) *Alimentación*: la mamá debe tratar de comer lo mejor posible, en forma balanceada, combinando vegetales frescos, frutas, carnes y productos lácteos como leche, quesos y manteca.*

Muchas mujeres se encuentran anémicas durante el embarazo, y un 20% de ellas realmente lo están después del parto; asimismo, los depósitos de vitaminas y minerales del organismo necesitan reponerse; por lo tanto, más que nunca se debe tomar un complejo vitamínico de los más completos (consultar con el médico), que ayude a la madre a recuperar las fuerzas físicas y su salud emocional.

Espero que este lineamiento general les facilite a las mamás deprimidas la información necesaria para vencer esta difícil situación.

* Ver Glosario.

Temores de los padres

La aparición de muchos de los miedos en los padres tiene estrecha relación con el sentirse ansiosos, sobrecargados, y en algunos casos exhaustos ante la responsabilidad que implica el hacerse cargo de un ser tan dependiente como lo es un bebé.

Estos miedos pueden ser mínimos, exagerados, conscientes o inconscientes, y en algunos casos pueden interferir en el proceso de adaptación y regulación de los bebés con sus padres y viceversa.

A continuación se describen varios de los temores que todos podemos sentir cuando nacen nuestros hijos:

1) Miedo a herir al nuevo bebé: éste es quizás el más común de los temores, en particular si se trata del primer bebé. Si bien es verdad que no es algo tan irreal, pues los padres no tienen la experiencia necesaria y los bebés son más vulnerables comparados con niños mayorcitos. Este temor tiende a disiparse en el transcurso de los primeros meses, cuando la interacción diaria de los padres con el niño los hace entenderlo y manejarlo con más seguridad. Por otro lado, hay mamás y papás que sienten este miedo en una forma exagerada, y como resultado cargan al nene lo menos posible; si tienen a alguien que los ayude (enfermera, familiares o niñera), les ceden totalmente la responsabilidad y no aprenden a superar este temor a dañar o herir a su bebé.

En los embarazos sucesivos es factible que se repita la historia. En mi opinión, es ideal que haya alguien que los ayude en esta etapa inicial con el recién nacido, pero que no los haga sentirse inútiles, alimentándoles el miedo, consciente o inconscientemente. Es bueno que ese alguien con más experiencia esté ahí, a la hora de bañarlo, darle la comida o cortarle las uñas, para darte apoyo psicológico e inclusive para enseñarte las primeras veces, pero no para acapararse al recién nacido y demostrarte que sólo después de cuidar cientos de niños es cuando tal vez lograrás aproximarte a una madre competente. Después de todo, un bebé no es tan frágil como para que, con algo de práctica, los padres no se vayan a sentir confortables y seguros al cuidarlo.

2) Miedo a ser inadecuado: otro temor frecuente es el de sentir que no vas a tener suficiente que dar (amor, responsabilidad, etc.). Este miedo es bastante común en las madres, y es fácil de evidenciar

81

(emerge a la superficie) cuando logran concretar el problema y dicen "no tengo suficiente leche para mi bebé"; es verdad que algunas veces este problema puede presentarse, y ser algo real que la mamá no tenga un suministro adecuado de leche, pero en la gran mayoría de los casos sólo representa el miedo de ser "inadecuada", y por consiguiente no tener "suficiente que dar".

Este grupo de mamás puede reflejar el mismo temor en otras áreas de su vida: en su empleo, en lo sexual, en su casa. Con frecuencia esta inseguridad tiende a agravarse si el bebé es irritable, difícil y exigente.

Una forma de aliviar este problema es que los padres se concienticen de que existe y trabajen por ellos mismos la forma de resolverlo; y si consideran que es algo que se les escapa de las manos, acudan a alguna persona o especialista que esté en capacidad de ayudarlos.

Muy a menudo las madres tienden a negar sus propios sentimientos como "me estoy dando demasiado", "estoy harta de esta responsabilidad", "no tengo tiempo para mí misma"; es prudente que exterioricen estos sentimientos y no los nieguen por temor a sentirse egoístas; se quedarían sorprendidas del número de familias que han pensado igual que ustedes; considérenlo normal y no tengan remordimientos al expresarlos, pues de esta forma se descargan, buscan soluciones, y al final mejorarán la relación con el bebé.

3) Miedo a perder la independencia: éste constituye otro de los temores frecuentes al tener un bebé, en particular si la madre ha obtenido su propia carrera o empleo, y tiene miedo de perder sus logros; en algunos casos son los papás los que lo sienten, pues es la mujer la que tiene que mantener el hogar. Inconscientemente, estas familias tienen temor a disfrutar el contacto con su bebé, y establecer una dependencia que ponga en peligro sus metas. Este miedo puede interferir en el placer que normalmente trae la relación del papá y de la mamá con su nuevo nene.

Los padres deben decidir en forma personal cómo adaptar y balancear la importante tarea de criar a sus hijos y al mismo tiempo realizarse en sus trabajos; desgraciadamente, esto a veces no es fácil y requiere sacrificios de ambas partes.

4) Miedo a ser controlados: este miedo está relacionado con el temor a perder la independencia. Muchas madres dicen "mi bebé me controla la vida", "estoy cansada de no poder hacer nada sola"; y es increíble cómo un pequeño ser indefenso es capaz de modificar y controlar a un adulto; sin embargo, esta expresión es compartida por muchos padres, y se puede considerar natural y hasta saludable mientras no interfiera con el amor que le tengan a su bebé.

Tabla de desarrollo
Las tres semanas siguientes

Físico

— Brazos, manos y piernas se mueven básicamente en forma refleja.

— Cuando lo acuestas boca abajo, levanta la cabeza y la mantiene por poco tiempo.

— Extiende los brazos y las piernas cuando juega.

— Las manitos las mantiene cerradas casi todo el tiempo.

— Cuando lo sientas, trata de sostener la cabeza erguida en la línea media por un tiempo limitado.

— Cuando se sobresalta abre los brazos y los flexiona rápidamenta (reflejo de Moro).

Intelectual

— Aumenta considerablemente su capacidad para mantenerse alerta.

— Se acuerda de objetos que reaparecen a los 2 segundos y medio.

— Llora deliberadamente para que lo asistan.

— Se tranquiliza cuando observa caras, oye voces familiares, o lo cargan.

— Espera que lo alimenten a ciertas horas.

Sensorio-motor

— Responde a las voces humanas.

— Responde en forma positiva cuando se siente satisfecho y confortable; responde negativamente al dolor.

— Puede comenzar a vocalizar.

— Cuando tiene sus manitos abiertas puede agarrar objetos (maraquita) que la rozan, pero los deja caer rápidamente.

–Mejora la coordinación motora de los ojos; sigue objetos animados e inanimados con más facilidad.

Social

–La mayoría de las reacciones todavía dependen de estímulos internos.
–Realiza contacto visual (ojo a ojo).
–Los patrones de sueño, llanto y alimentación todavía se encuentran muy desorganizados.
–Fija los ojos en la cara materna si no está muy lejos, como respuesta a su sonrisa.
–Adapta la postura de su cuerpo a la de la persona que lo carga.
–Sonríe como respuesta a ciertos estímulos.

Actividades sugeridas

–Móviles de colores (primarios preferentemente) contrastantes.
–Música suave.
–Convérsale cara a cara a una distancia en que sepas que puede seguirte con la mirada.
–Repítele sus vocalizaciones.
–Continúa demostrándole lo mucho que lo quieres; el amor es clave de un desarrollo perfecto.
Recuerda que todos los bebés son únicos y diferentes, por lo tanto si tu bebé no realiza algunas de las actividades señaladas es probable que lo haga más adelante.

1 mes

Nº comidas/día	p.s.m.l.	vacunas	datos
6-10	4 horas	BCG (depende la región) Hepatitis B	no hay patrones definidos de sueño y hambre

p.s.m.l.: período de sueño más largo.

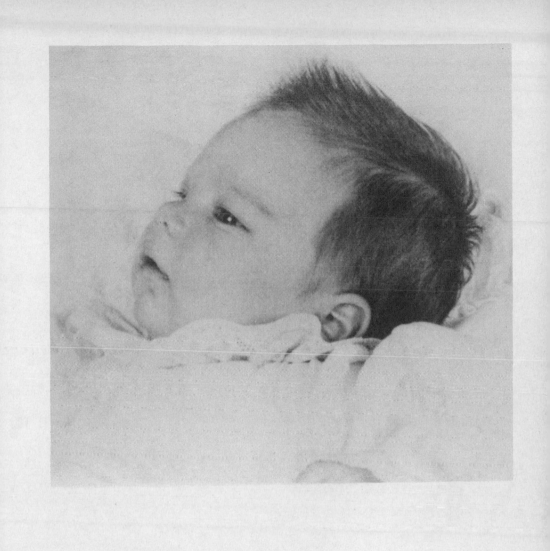

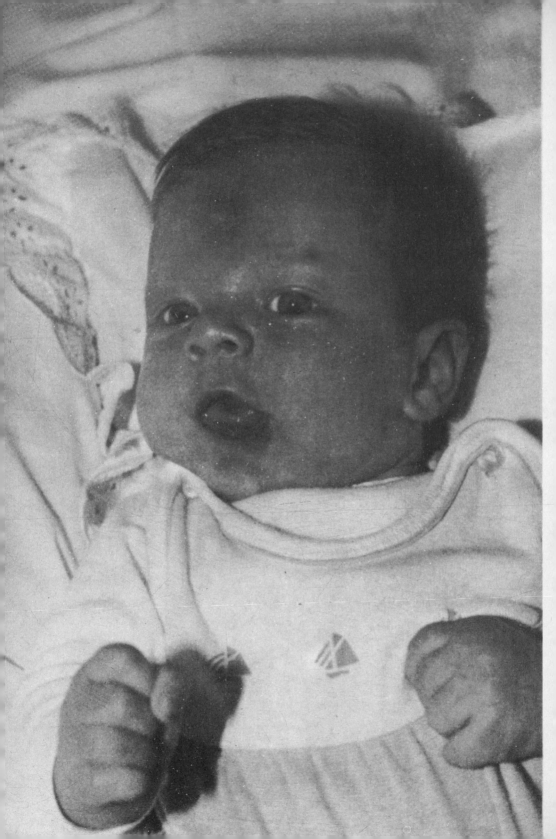

2 dos meses

2 dos meses

Durante el segundo mes te darás cuenta de lo mucho que ha cambiado tu bebé. Sus movimientos, antes torpes y erráticos, se hacen más suaves y mejor coordinados; los músculos del cuello le permiten sostener la cabeza erguida (45 grados) por más tiempo. Es probable que notes cómo mantiene las manos abiertas más a menudo, y si le das un objeto ya no se le cae tan fácilmente. Pero quizás lo que más te dé una idea de su evolución sea su sonrisa; recuerda que al principio no parecía tener relación con lo que sucedía a su alrededor; sin embargo las risas de ahora están llenas de sentido, y vienen acompañadas de sonidos y vocalizaciones fáciles de asociar a momentos agradables y al contacto con sus padres.

El peso y la talla continúan en ascenso, y el promedio es de *5 kg* y *58 cm* respectivamente. *El número de comidas* promedio es de 5 a 6 diarias, y *la cantidad de leche* continúa variando de 120 a 150 ml por toma.

Hermanos

Los hermanitos, si los hay, es probable que se hayan acostumbrado a la presencia del nuevo integrante familiar; sin embargo, las conductas ambivalentes se presentarán con frecuencia, manifestándose a través de besos o abrazos excesivamente fuertes, o francas agresiones

 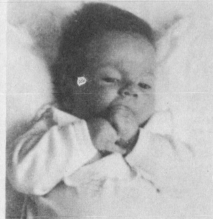

contra sus padres; esto depende mucho de la edad del niño en cuestión y de la forma en que hayas sabido manejar la situación.

No parece indicado el sobreproteger al nuevo bebé, pues de esta manera sólo refuerzas los celos de sus hermanitos; permíteles que lo toquen y jueguen con él bajo tu adecuada supervisión. Prepárate para reírte si un buen día te comentan "me gusta mucho el bebecito, pero ¿cuándo lo vamos a devolver al hospital?".

Actividad motora

Muchos bebés ya comienzan a disfrutar del momento del baño, y algunos demuestran gran actividad durante el mismo. El aumento en su capacidad motora favorece que los nenes puedan caerse del sitio en donde estén; para que no te suceda esto manténlo siempre agarrado con una mano, y por si acaso es necesario que te ausentes un momento, es preferible que lo lleves contigo, o que lo coloques en un sitio seguro (cuna, cesta en el suelo, etc.). Nunca subestimes a tu bebé pensando que no es capaz de darse vuelta o moverse más de lo usual, recuerda que el desarrollo es continuo, y lo que no puede hacer hoy podría perfectamente realizarlo mañana..

Si por cualquier circunstancia llegara a caerse el bebé, no te sientas culpable pues a todos nos sucede por lo menos una vez; sin embargo, notifícaselo al médico de inmediato para que descarte algo serio. En mi experiencia personal, los accidentes no han sido importantes y los bebés se han recuperado perfectamente luego del susto.

Se prolonga el sueño

Después de 1 mes de auténticas guardias, en donde la noche y el día parecían iguales, es ahora cuando tu bebé comienza a dormir un poco más, y de 4 horas seguidas de sueño pasa a *6 ó 7 horas seguidas*; debido a esto, es factible que suspenda su comida de la madrugada. Todo ello es muy variable, y según los estudios ya descritos, tu hijo prolongará gradualmente el período de sueño hasta que un día te sorprenda durmiendo toda la noche.

La capacidad para mantenerse alerta también crece, y te será más fácil interactuar con él durante el día; el tiempo total despierto puede llegar de 8 a 10 horas diarias.

Desarrollo sensorio-motor

La coordinación motora y la madurez de sus sentidos le permiten ahora seguir objetos que pasan primero horizontalmente, luego arriba o abajo, y posteriormente en movimientos circulares. Si le das chance para escoger, demostrará preferencia por juguetes de formas simples y colores brillantes; los atraen más los objetos en movimiento que aquellos que permanecen inmóviles.

Otra actividad que cobra gran importancia es la de *chuparse las manitos*, o cuanto objeto le coloques en las mismas; esto es de gran importancia, pues a través de su boca el bebé comienza a explorar el ambiente que lo rodea. Debido a esto, muchos médicos especialistas en desarrollo les recomiendan a aquellas madres que escogieron el uso del chupete, no dejárselo puesto todo el tiempo, para permitirle al bebé que explore y se lleve a la boca objetos con formas, texturas y consistencias diferentes; de esta manera le ofrecen una mayor variedad de estímulos, reservando el chupete para ocasiones especiales. Además, cuando se chupan las manitos la sensación es doble, pues sienten no sólo la forma y el largo de los dedos sino también la fuerza de la succión.

Asegúrate de que los objetos que se lleve a la boca no tengan partes pequeñas sueltas o removibles, pues se corre el riesgo de que las aspire.

Los espejos son otra de las cosas que les gustan a esta edad; sin embargo, será meses más tarde cuando el bebé perciba que lo que ve es su propia imagen.

El papá

En cuanto al padre, si es posible trata de que se integre al máximo en las actividades del bebé; insiste en que lo cambie, lo cargue, lo alimente y te ayude con el baño.

Los papás representan un tipo muy especial de estimulación, y

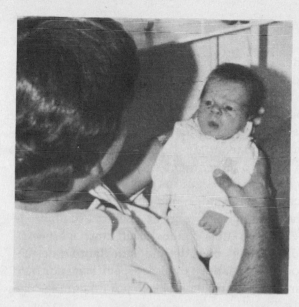

Bebé alerta

es en estas primeras semanas cuando se establece con más facilidad *el lazo afectivo*; por lo tanto no permitas que pierda esta importante oportunidad.

Comunicación

El tiempo ha hecho que tu bebé descubra que sus padres son, no solamente una fuente de comida, sino también de afecto y seguridad. Es probable que hayas notado cómo se te queda mirando la cara cuando le hablas, como estudiándote; y si bien todavía puede tardar 10 o más segundos en responderte con risas, vocalizaciones, movimientos, etc., no te olvides de *esperarlo*, pues de esta forma la comunicación será ideal y tu bebé aprenderá rápidamente que ciertas conductas provocan determinadas respuestas, y viceversa.

Los padres sensibles realizan esto en forma natural, y es gracias a ellos que hemos aprendido a comprender y a respetar el sutil lenguaje de los bebés.

Lazo afectivo

A continuación se describen las bases y el resultado final del proceso de unión afectiva del bebé con sus padres, que sin duda comienza durante el embarazo mismo, y se consolida durante el primer año. He decidido extenderme un poco hasta los tres años de edad, pues considero que se aporta una información valiosa que los ayudará a entender mejor esta compleja relación.

Bowlby (1969), en su libro *Atachment and Loss*, describe algunas de las reacciones iniciales del bebé con sus padres y menciona ciertas conductas predominantes del niño, como son cerrar las manitos en forma refleja y agarrar a su mamá o chupar mientras su madre le canta o lo abraza. Con el tiempo estas conductas un tanto inespecíficas son reemplazadas por patrones bien definidos de llanto o de succión, y esta última se modifica y adapta a objetos específicos; por otro lado, la acción de agarrarse es suplantada en parte por un contacto visual estrecho con la madre.

Según este conocido psiquiatra (Bowlby), cada conducta del niño está diseñada para provocar un contacto físico y eventualmente psicológico con sus padres. H. F. Harlow (1971) demuestra cómo monos adolescentes no preparados hormonalmente para cuidar a bebés de su especie son atraídos por el tamaño relativamente grande de las cabezas de éstos simios infantes, así como por sus pequeños cuerpos, y describe cómo los abrazan y protegen con movimientos suaves y adecuados; de la misma forma, al presentarles juguetes o animales con la misma configuración se repetían las conductas.

En los humanos se describen también reacciones de este tipo como respuesta al aspecto físico indefenso del bebé. El cabello fino de su cabeza, la suavidad de la piel, el lanugo del cuerpo, la fontanela y sus movimientos poco coordinados nos producen un sentimiento instintivo que nos lleva a protegerlo, abrazarlo y enseñarle. En otras palabras, pareciera como si los humanos adultos estuvieran equipados con respuestas innatas que se desencadenan ante ciertas características físicas de los miembros más inmaduros de su especie.

Todo esto que he mencionado no es probablemente sino el resultado de un proceso adaptativo que, a través de millones de años en la evolución del hombre, le ha demostrado que la mejor chance que tenía para sobrevivir se debía a *la proximidad con sus padres.*

Durante las primeras semanas de vida las conductas para mantenerse cercano a su mamá no son exclusivamente orientadas hacia ésta, y el padre, si es posible, debe participar activamente en este contacto, pues su hijo, a estas alturas, *reacciona por igual ante ambas figuras*. En la segunda mitad del primer año el niño reconoce claramente quién es la persona que siempre lo cuida, y entonces desarrolla un estilo único de interacción con la misma; es en este momento que uno habla de unión o *lazo afectivo*, comparable a lo que les sucede a los pollitos cuando después de imprimir su presencia en la gallina, y viceversa, la siguen a donde vaya.

Cuando esta unión afectiva ha sido formada, cualquier interrupción o ruptura puede provocar serios disturbios. Los niños de un año

de edad reaccionan con gran vehemencia ante estas separaciones, como por ejemplo cuando la madre los deja con personas extrañas; en estos casos el bebé llora y se pone ansioso hasta que la madre regresa.

La unión temprana a una figura materna es crucial; la ausencia o ruptura de este lazo inicial pronostica problemas futuros. Sin embargo, este acercamiento entre el niño y sus padres no es permanente, y durante el segundo, tercer y cuarto año de vida, se aflojará el nudo de unión, permitiendo en forma natural que el niño encuentre apoyo y equilibrio en otras personas, siempre que la relación afectiva con su madre (padres) haya sido satisfecha.

En la medida que el niño aprende a caminar, hablar y explorar activamente su ambiente, el contacto directo con su madre pasa a ser menos necesario y puede mantenerse a distancia con más facilidad. Si las situaciones que generan ansiedad no son muy frecuentes o intensas podrá separarse por períodos prolongados, con la seguridad de que el apoyo de sus padres podrá conseguirlo en un momento dado, si lo necesita. Gradualmente aprenderá que el contacto no necesita ser tan frecuente y que puede ir solo, con la ayuda de otros compañeritos de su misma edad, hermanos, etcétera.

Según Bowlby, es *al final del tercer año*, aproximadamente, cuando el niño aprende a aceptar la ausencia temporal de su madre sin protestar y es capaz de adaptarse con más facilidad a figuras sustitutas como profesores, familiares, etc. Sin embargo, en los momentos de tensión, angustia o miedo, los niños continuarán buscando a sus mamás o alguna persona cercana para encontrar consuelo y seguridad.

Docenas de estudios basados en muestras amplias (Child Development, Feb. 1985, vol. 56) nos indican que aquellos *niños que tuvieron un lazo afectivo seguro* tienden a ser más competitivos, tienen más autoestima, son más curiosos e independientes, se adaptan mejor a las novedades, son persistentes a la hora de resolver un problema, toleran mejor las frustraciones y, entre otros hallazgos, presentan menos problemas de conducta. Para finalizar con este fascinante tema, se presenta a continuación un cuadro donde Bowlby resume el desarrollo normal de la unión o lazo afectivo:

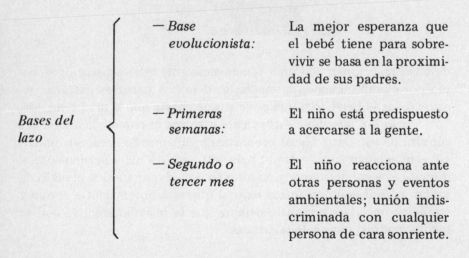

	— *Base evolucionista:*	La mejor esperanza que el bebé tiene para sobrevivir se basa en la proximidad de sus padres.
Bases del lazo	— *Primeras semanas:*	El niño está predispuesto a acercarse a la gente.
	— *Segundo o tercer mes*	El niño reacciona ante otras personas y eventos ambientales; unión indiscriminada con cualquier persona de cara sonriente.

Lazo afectivo formado	— *Sexto mes:*	El niño busca a su madre y reacciona especialmente a ella.
	— *Noveno al doceavo mes:*	El niño mantiene unión a través de cierta distancia; gradualmente toma la iniciativa en los contactos. Miedo a los extraños.
Gradual separación de su madre y unión a otros	— *12 a 24 meses:*	La madre es la figura central del niño; éste siente ansiedad y miedo en presencia de extraños. Separaciones prolongadas de la madre lo llevarán a protestar, luego a desesperarse y finalmente a desunirse (cara triste, no juegan, se sienten abandonados).
	— *Final del tercer año:*	El niño acepta la ausencia temporal de su madre *sin protestar* y se adapta a figuras sustitutas (profesores, familiares, etcétera).

Tabla de desarrollo
Segundo mes

Físico

— Mueve los brazos, manos, y piernas con más coordinación y suavidad.

— El control reflejo comienza a ser suplantado por el control voluntario.

— Cuando lo acuestas boca abajo, sostiene la cabeza por mucho más tiempo en un ángulo de 45 grados.

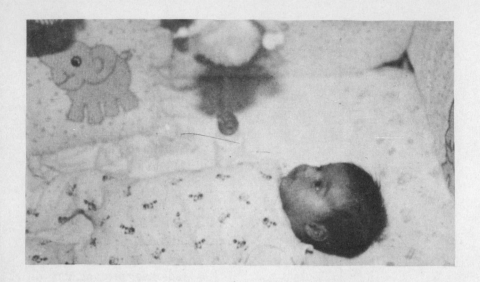

— El movimiento de las manos se hace más voluntario, pudiendo ahora mantener objetos por un tiempo prolongado sin que se le caigan.

— Algunos bebés pueden golpear objetos con sus manitos, como por ejemplo el móvil de su cuna.

— Cuando lo sientas mantiene la cabeza erguida con más facilidad, sin embargo todavía no lo hace con firmeza.

—*peso*: varones 4-6,5 kg; niñas: 3,8-5,9 kg

—*talla*: varones 53,3-60,7 cm; niñas: 53-59,6 cm.

Intelectual

— Se estudia sus manitos (movimiento, forma, etc.)

— Se alegra y exalta con anticipación ante la presencia de ciertos objetos.

— Diferencia claramente voces, sabores, y el tamaño y proximidad de los objetos.

— Coordina sus sentidos (chupa al ver un biberón, busca con la mirada la dirección del sonido).

— Al ver un objeto atractivo, reacciona con movimientos generalizados del cuerpo y hace esfuerzos para agarrarlo.

— Puede mostrar preferencia por el lado derecho o el izquierdo.

Sensorio-motor

— Algunas veces se queda observando fijamente el ambiente que lo rodea (techo, luces, ventana, etcétera).

— Abre los brazos bruscamente (sobresalto), y presenta respuestas faciales (abre o cierra los ojos, frunce el ceño, etc.) ante estímulos inesperados.

— Comienza a vocalizar.

— Mejora el tono muscular.

— Escucha definitivamente los sonidos.

— Mejora su coordinación visual, y puede seguir objetos con movimientos lentos y circulares.

— Si le presentas dos objetos a la vez, fija la mirada en uno.

Social

— Se tranquiliza por él mismo chupándose las manitos, su propia lengua u otros objetos.

— Es capaz de demostrar alegría, excitación, o desagrado como respuesta a ciertos estímulos.

— Visualmente prefiere a las personas sobre las cosas.

— Se tranquiliza cuando lo cargan o le hablan suavemente.

— Responde a la presencia de personas con excitación, movimientos generalizados de las piernitas y brazos, o vocalizaciones.

— Disfruta del momento del baño.

Actividades sugeridas

— *Cinta de colores*: amárrale una cinta de colores corta en una de sus muñecas (no muy apretada), verás cómo se queda viéndola; cámbiasela de mano.

— *Juguete de goma que suena*: coloca un juguete de goma suave en la mano del bebé para que accidentalmente lo apriete.

— *Móvil*: cámbiale los objetos al móvil y coloca colores brillantes y formas diferentes.

— *Padres*: siéntate junto al papá (si es posible) y acuesta al bebé en tus piernas para que los vea y siga a los dos, y reconozca la dirección del sonido; cambien de lugar.

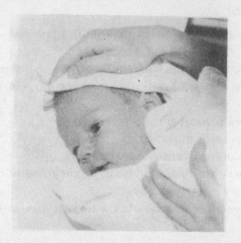

— *Sonajero*: la capacidad del bebé para seguir objetos se halla muy aumentada; haz sonidos continuos con un sonajero y trata de que lo siga con la mirada en varias direcciones. Colócaselo en la mano, verás cómo lo agita y trata de llevárselo a la boca.

— *Llamando al bebé*: llámalo por su nombre antes de entrar en el cuarto; con el tiempo, con sólo oírte anticipará tu llegada.

— *Cantando*: cántale canciones y háblale claro, describiendo lo que haces y lo mucho que lo quieres.

— *Usando los pies*: colócale un móvil en los pies de la cuna, de manera que lo pueda golpear con los pies; con el tiempo se dará cuenta de que es él quien lo mueve (impacto sobre su ambiente, causa-efecto).

— *Silla mecedora*: la hora de comer es más agradable y relajada para los dos cuando lo hacen meciéndose en una de estas sillas. Si no lo has probado, hazlo.

— *Le toca al padre*: permítele al papá que le dé una de las comidas o un poco de agua; lo mismo con el cambio de pañales o el baño.

— *Hora del baño*: deja que el bebé chapotee en el agua; con el tiempo verás cómo salpica todo el baño. Al secarlo con el paño le ofreces inadvertidamente nuevas sensaciones y texturas.

— *Hablando con el bebé*: repítele sus sonidos; recuerda el ciclo de atención y retirada mencionado anteriormente; aprende a esperar su contestación.

–*Televisión*: si te gusta ver la televisión, este es un momento agradable en donde pueden reunirse con el resto de la familia; el bebé puede disfrutar el sonido y los movimientos por un cierto tiempo. Debes ser sensible a los cambios que te digan "ya es suficiente, estoy cansado, quiero otro ambiente".

–*Improvisa:* disfruta e improvisa tus propias actividades; que ambos estén contentos en estos momentos es lo que cuenta.

–*El amor y el afecto:* continúan siendo la clave de un desarrollo exitoso para ambos.

Recuerda que todos los bebés son únicos y diferentes, por lo tanto si tu bebé no realiza algunas de las actividades señaladas es probable que lo haga más adelante.

2 meses

Nº comidas/día	p.s.m.l.	vacunas	datos
5-6	6-7 horas	DpT (triple) OPV (polio)	la "hora de la inquietud" se acentúa hacia la 6a. semana. El niño puede llorar hasta 2 hs. 15 minutos por día.
		HiB	HiB: vacuna contra la meningitis por H. influenz tipo B.

p.s.m.l.: período de sueño más largo.

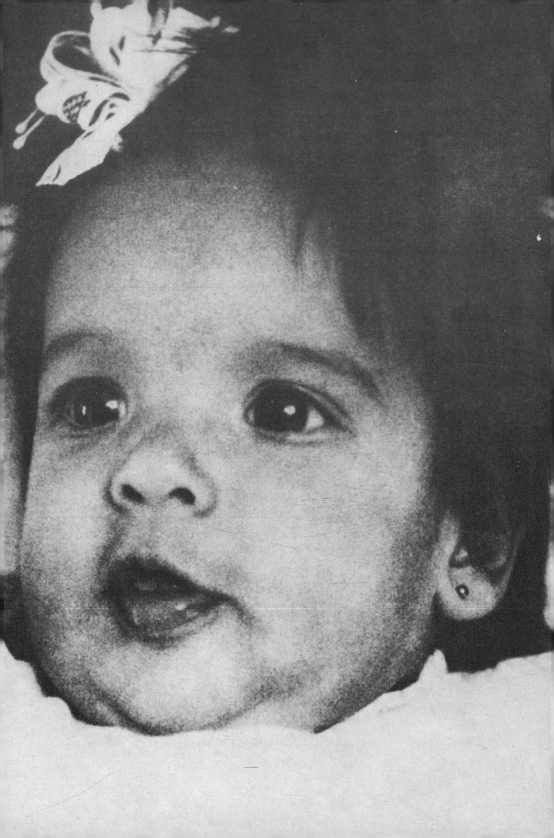

3 tres meses

3 tres meses

Al final del tercer mes el aspecto del bebé habrá cambiado considerablemente; sus movimientos, sus risas y su mayor capacidad para interactuar con el ambiente lo hacen ver menos indefenso. El llanto es ahora más claro y específico, lo que significa para ti una ayuda hasta cierto punto, pues te facilitará la interpretación de sus necesidades.

La hora de la inquietud mencionada en el primer mes puede desaparecer en algunos bebés como por arte de magia, lo que quizás marca una etapa importante en la maduración de su sistema nervioso.

Tu hijo maneja mejor la entrada de los diferentes estímulos que lo rodean, y es capaz de responder ante ellos con un repertorio aumentado de conductas.

El bebé ya comienza a indicar diferentes preferencias y necesidades, e influido por el ambiente y por su carga genética manifiesta su creciente personalidad y futuro temperamento.

El peso y la talla promedio a esta edad son respectivamente 5,500 kg y 59,8 cm. *El número de comidas* es de 5 a 6 diarias, y *la cantidad de leche* por toma es de 150 a 180 mililitros.

Actividad motora

Entre los logros más significativos desde el punto de vista motor está el mantener la cabeza erguida por más tiempo y con más facili-

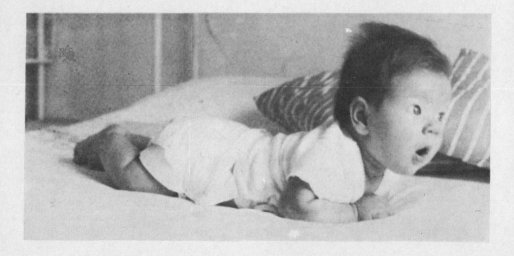

dad, y cuando lo acuestas boca abajo levanta el pecho con sus bracitos una cierta distancia.

Si lo pones de pie, verás cómo soporta algo de su peso (todavía se le doblan las piernitas).

Hasta este momento el nene tenía sus manitos casi siempre cerradas; sin embargo, en este mes se observa la tendencia de mantenerlas abiertas más tiempo y al alcance de su vista, pues ellas constituyen un móvil increíble y una fuente de aprendizaje siempre accesible.

Tienden a levantar los brazos hacia los lados, y de hecho el bebé agarrará un objeto con más facilidad si se lo colocan a un lado que si se lo ponen al frente; con el tiempo será capaz de agarrarlo en cualquier lugar. Es interesante destacar que este movimiento lateral de los brazos puede muy bien ser la sustitución voluntaria del reflejo de Moro descrito con anterioridad.

Un considerable porcentaje de niños a esta edad son capaces de darse la vuelta cuando están acostados, de modo que no te olvides de este importante logro al dejarlo en sitios elevados.

El bebé puede ahora juntar sus manitos en la línea media, e iniciar el complejo ejercicio de *ver-agarrar-chupar*; en otras palabras, trata de meter lo que ve dentro de su boca (final del mes). Aprovecho para recordarles a los padres que no vivimos en un mundo estéril y, a menos que las cosas con las que juegue el niño estén demasiado sucias, no hay por qué preocuparse tanto, pues también es importante que el bebé se acostumbre a los diferentes microorganismos; lo que sí debes tomar en cuenta es que el objeto no sea muy pequeño ni tenga partes sueltas que pueda tragarse o aspirar.

Sueño

Al finalizar este mes los bebés tienden a dormir toda la noche, aproximadamente de *8 a 10 horas seguidas*; sin embargo, hay muchos que se despiertan y lloran desconsoladamente para que los carguen y arrullen. Mi experiencia personal me dice que estas personas en miniatura aprenden rápidamente a asociar *llanto-me cargan y arrullan-me duermo*, de esta forma te incluyen dentro de su proceso organizativo para dormir, y esto no siempre es lo más recomendable.

Escribo esto pues hay muchos bebés que cuando se despiertan

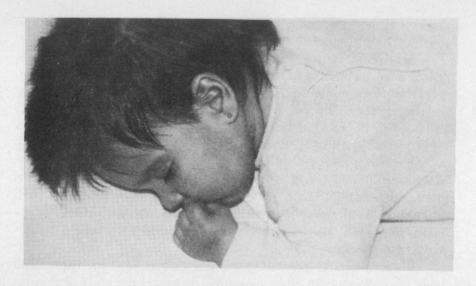

en el medio de la noche lloran, y al cabo de un cierto tiempo dejan de hacerlo y se duermen de nuevo; por lo tanto, si aprendes a esperar un poquito y no lo cargas, sino que lo observas para ver qué sucede sin que él lo note, es factible que lo ayudes a que aprenda por él mismo a mantenerse dormido, evitando de esta forma problemas futuros con relación a este tema, que tiende a agravarse a la edad de los 6 meses.

Si tienes dificultades para dormir a tu bebé cuando lo colocas en su cunita por primera vez, puede ser debido a que no se haya mantenido despierto lo suficiente durante el día, o entonces a que haya recibido demasiada estimulación antes de dormir. Te sugiero que le *establezcas una rutina* a una hora determinada, con música suave, luz tenue, de manera que el niño asocie este particular ambiente con su momento de dormir.

Capacidades sensoriales

Tu bebé ahora vocaliza mucho más, las voces de la gente y la música no sólo lo tranquilizan sino que lo inducen a imitar los sonidos.

El color pasa a ser una parte importante en su mundo visual; demuestran preferencia por los colores brillantes como el rojo, verde y azul; los tonos pasteles no parecen atraerlos tanto, y es por ello que algunos fabricantes de juguetes y artículos infantiles han cambiado muchos de sus colores originales.

Continúa el interés por los rostros, y responden activamente ante la presencia de la cara de sus padres.

Su habilidad visual aumenta considerablemente, y a principios del cuarto mes la madurez de este importante sentido estará casi completa.

Su mundo mágico

Si el bebé deja caer algo que tenía agarrado no es capaz de razonar a dónde fue a parar el objeto en cuestión, así pues, para él, *lo que no puede ver no existe*; es probable que en algunas oportunidades te observe con sorpresa como diciendo "además de ser una maravillosa mamá eres un estupendo mago, pues apareces y desapareces con gran rapidez".

Haz la prueba tú misma, enséñale un juguete que capte su interés, y luego, sin mover el brazo, déjalo caer enfrente de su vista; verás cómo se queda viendo la mano y no sigue la dirección del objeto, pues para él "desapareció". (El objeto no debe hacer ruido al caer.)

Este fenómeno es parte de la teoría sobre el desarrollo de la in-

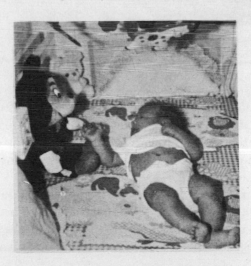

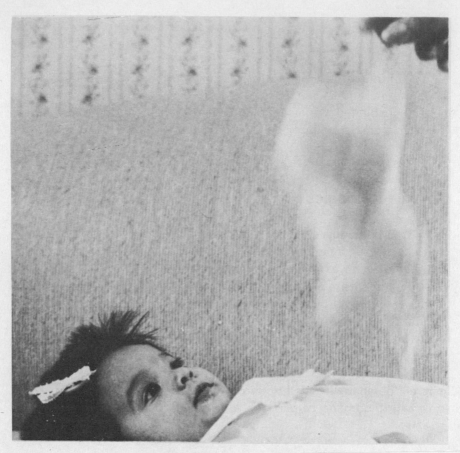

El objeto "desapareció"

teligencia del conocido científico Jean Piaget (1952); éste nos dice que es a partir del 4° al 6° mes aproximadamente cuando los bebés comienzan a entender que las cosas no se esfuman misteriosamente, y entonces son capaces de visualizar y recordar mejor los objetos y personas que los rodean.

Con esto no quiero decir que no te reconozca, pues es claro que lo hace desde temprana edad; sin embargo, cuando no estás a la vista le cuesta mucho todavía imaginarte en su mente, y es por ello que se sorprende y alegra cuando te presentas de nuevo; piensa en lo difícil

106

que es para uno mismo el representar mentalmente a otra persona u objeto.

En el transcurso del libro haré mención de otros aspectos prácticos de esta fascinante teoría cognoscitiva.

Estimulación

Tu bebé comienza a distraerse solo, por más tiempo, con sus móviles y juguetes; sin embargo, esto nunca sustituye la interacción con otras personas, pues, como sabemos, el hombre es un ser básicamente social y necesita comunicarse. Es probable que en más de una oportunidad entables verdaderos diálogos de "aghs" y "ohhhs" intercalados con risas y movimientos de la cara y el cuerpo; no te olvides de contestarle imitando algunos de sus sonidos e inventando algunos nuevos; todo esto hará que tu hijo se sienta importantísimo, y definitivamente es una forma agradable de desarrollar su lenguaje.

Los sentidos continúan madurando a un ritmo vertiginoso. Cuando lo sacas de su cunita ya no se conforma con que lo cargues y lo veas, sino que a lo mejor te pide más acción, que juegues con él, le hables, le enseñes cosas nuevas, sonidos diferentes, objetos de formas y texturas variadas. Si lo dejas solo, al poco rato puede protestar formalmente y exigirte que lo cargues e interactúes con él de nuevo. Te recuerdo que detrás de esos ojitos no existe, probablemente, un razonamiento lógico, por lo tanto no te prolongues explicándole lo muy atareada que te encuentras.

Dale objetos de contexturas y tamaños diferentes, poco a poco aprenderá que la maraquita es dura y suena, el patito de goma es blando, el osito es grande y suave, etc.; aprenderá que existen diferentes consistencias, formas, temperaturas, y gradualmente su increíble cerebro almacenará estos estímulos, para ampliar, modificar y utilizar toda esta información en un futuro.

El papá

Aquellos papás cortados a la antigua probablemente ahora no le tengan mucho miedo a su bebé y deseen cargarlos más a menudo;

si no lo han hecho todavía, ésta es la oportunidad de oro, pues al final de este mes lucen robustos y con un balanceo mejor de sus cabezas, por lo tanto deben aprovechar la ocasión para fomentar esta importante relación.

Los hermanos

Las madres con más de un hijo pueden preocuparse al sentir que no le están brindando mucha atención a los mayorcitos; es probable que tengan razón, pero recuerda que el día sólo tiene 24 horas y de ellas una buena parte se la tienes que dedicar a tu bebé; sin embargo, trata de ayudar a los hermanitos a que conserven la identidad e importancia que tenían antes de que llegara el nuevo integrante. Recuérdales todos los derechos y privilegios que han adquirido al crecer y ser mayores. Haz que continúen ayudándote con el bebé, y demuéstrales lo mucho que aprecias y valorizas sus pequeños aportes. Trata de evitar el uso de la palabra "bebé" como excusa para no llevarlos al cine, parque u otra actividad que tengan, pues, aunque la imposibilidad sea real, es razonable que con el tiempo desarrollen un cierto desagrado por el pequeño dictador que les impide con frecuencia hacer lo que desean.

Tabla de desarrollo
Tercer mes

Físico

—Puede sentarse con soporte.
—Comienza a golpear los objetos.
—Trata de alcanzar y agarrar las cosas con ambos brazos, empezando por los lados y luego uniendo sus manitos en el frente (línea media).
—Mueve vigorosamente las piernas y los brazos, pudiendo hacerlo en conjunto o por separado.
—Puede acostarse sobre la barriga con las piernas flexionadas.
—Puede darse vuelta de la barriga a la espalda.
—Cuando está acostado boca abajo puede levantar el pecho ayudado por sus bracitos durante 10 o más segundos, al tiempo que mantiene su cabeza erguida.
—Se apoya en los codos cuando lo mantienes boca abajo.

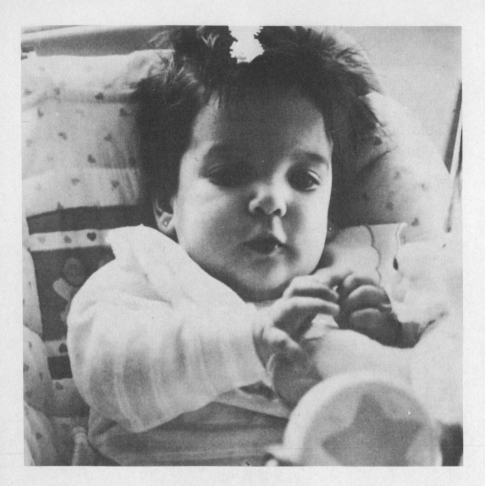

Control de la línea media

—Cuando está sentado sostiene la cabeza en la línea media con más facilidad y estabilidad.

—Mantiene las manitos abiertas con más frecuencia.

—*peso*: varones: 4,8-7,4 kg; niñas: 4,4-6,7 kg.

—*talla*: varones: 56,8-63,7 cm; niñas: 55,8-62,9 cm.

Intelectual

—Comienza a demostrar memoria.

—Se explora su cara, ojos y boca con las manitos.

—Responde con todo el cuerpo a la mayoría de las estimulaciones.

—Espera ciertas recompensas como por ejemplo comida.

—Puede asociar acción con resultados (toca el móvil y se mueve).

Sensorio-motor

—Puede ver sus dedos por separado.

—Sigue con facilidad cualquier objeto que se mueva lentamente delante de sus ojos.

—Deja de chupar para escuchar algún sonido o voz.

—Chupa y ve al mismo tiempo.

—Dobla la cabeza y el cuello buscando la procedencia de un sonido.

—Diferencia de otros sonidos el hablar de las personas.

—Puede agarrar y agitar voluntariamente un juguete.

Social

—El llanto disminuye considerablemente.

—Se ríe fácil y espontáneamente.

—Vocaliza como respuesta a sonidos (ooh, ah, ae).

—La estimulación social pasa a ser la más importante.

—Responde con todo el cuerpo cuando ve una cara familiar.

—Protesta cuando lo dejan solo.

—Llora diferente cuando la madre lo deja que cuando otros lo hacen.

—Los patrones de sueño y hambre se hallan claramente regulados.

—La expresión facial se hace más compleja y definida ante ciertos estímulos.

Actividades sugeridas

—*Gimnasio en su cuna*: una de las habilidades que emerge en esta edad es la de golpear los objetos con las manitos y los pies. Colócale en la cuna uno de esos juguetes con argollas, ruedas y maraquitas, de manera que lo pueda mover con sus manos y pies; asegúrate de que esté bien firme para que no se le caiga encima.

—*Salidas al jardín*: siéntense debajo de un árbol; el bebé se distraerá viendo la luz a través de las ramas y hojas. Para el niño esto equivale a un móvil gigante, y representa un contacto necesario con la naturaleza.

—*Hablando con el bebé*: conversa con el bebé cada vez que puedas, usando diferentes tonos de voz: cuando te responda, espera que sus "palabras" terminen, y luego imita sus sonidos. Mientras más le hables más te balbuceará.

—*Nuevas perspectivas*: alza al bebé o bájalo con tus brazos, permitiéndole que te vea la cara desde diferentes alturas.

—*Cantándole*: no existe una edad en la cual los bebés no disfruten de la música; agrégale rimas y ritmos diferentes, inventa tus propias canciones e incluye el nombre del bebé en ellas.

—*Cascabel en la muñeca*: colócale un cascabel amarrado (sin ajustarlo demasiado) de la muñeca con una cinta de colores, agítalo hasta que lo vea; más tarde se lo cambias de mano.

—*Canción sorpresa*: haz que algunas de las canciones terminen en algo diferente, como por ejemplo elevando más la voz, o besando al bebé; con el tiempo los niños desarrollan "anticipación", y entonces se ríen antes de que llegue el momento sorpresa.

—*Empujándolo por los pies*: cuando el bebé esté acostado boca abajo en el piso (sobre una manta) o en la cuna, colócale tus manos haciendo presión en la planta de sus pies, de forma tal que se impulse.

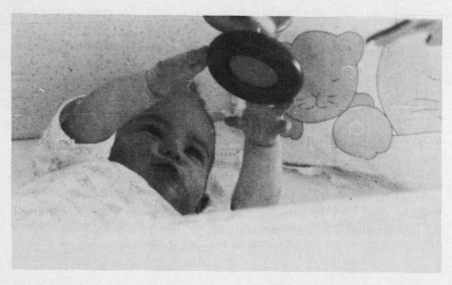

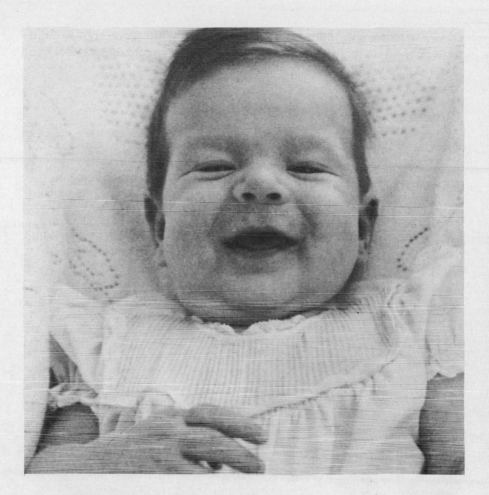

—*Rodando sobre su tronco*: entre los 3 y 4 meses de edad aproximadamente, los bebés comienzan a darse la vuelta, y casi siempre lo
hacen de la barriga a la espalda; si lo ves intentándolo, ayúdalo colocando tus manos detrás de sus hombros al tiempo que le cantas y lo
ruedas de un lado a otro.

—*Pelota inflable*: cuélgale del techo una pelota grande de esas
inflables que se usan en la playa; colócala a una altura tal que el bebé
pueda golpearla con sus pies acostado.

—*Oyendo el reloj*: acércale un reloj de los grandes de forma tal
que pueda escucharlo, muchas veces el ritmo tiende a tranquilizarlos
(ten cuidado que no suene la alarma, pues puede asustarse).

Recuerda que todos los bebés son únicos y diferentes, por lo tanto si tu bebé no realiza algunas de las actividades señaladas es probable que lo haga más adelante.

3 meses

Nº comidas/día	*p.s.m.l.*	*vacunas*	*datos*
5-6	7-8 horas	HBV2	al final del mes "la hora de la inquietud" tiende a desaparecer; disminuye considerablemente el llanto.

p.s.m.l.: período de sueño más largo.

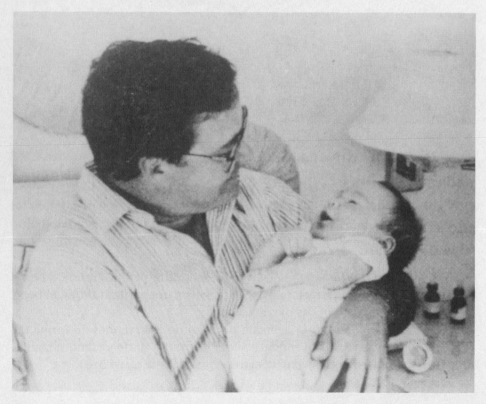

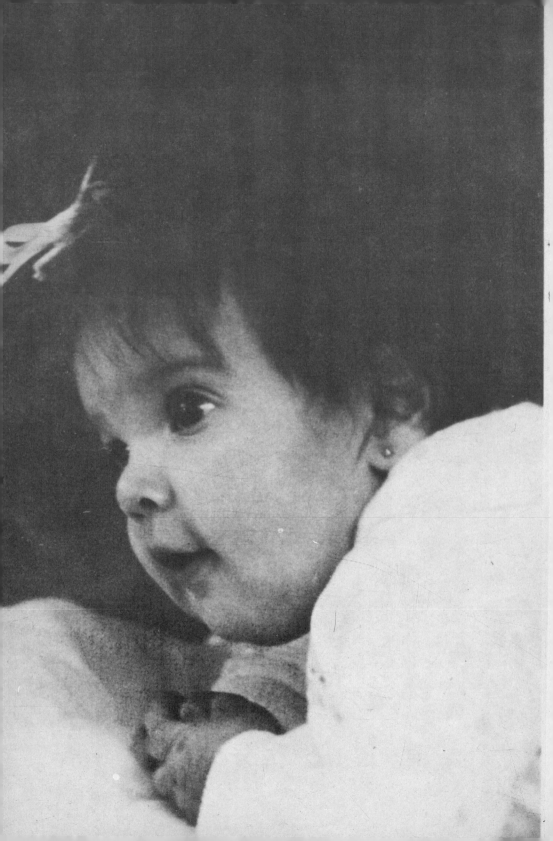

4 cuatro meses

4 cuatro meses

Los cambios en tu hijo continúan, y este mes no es una excepción. La capacidad social es quizás lo que más identifica a un bebé de cuatro meses; se da con todo el mundo fácilmente, y es el paciente favorito de aquellos que trabajan con niños en esta particular edad.

Su desarrollo muscular lo hace ver más compacto, y ahora, cuando lo cargas, sientes que no es tan fácil como antes amoldarlo a tu cuerpo. La curiosidad parece duplicarse, y muchas madres refieren tener problemas para darle pecho o biberón, pues dejan de succionar muy a menudo, y se distraen estudiándolo todo con la mirada. Más adelante haré mención de algunos datos para mejorar esta a veces complicada situación.

Al final de este mes *el peso y la talla promedio* serán respectivamente de 6.100 kg y 63 cm. *El número de comidas diarias* es de 4 a 5, y *la cantidad de leche* por toma es de 180 a 210 mililitros.

Actividad motora

Su desarrollo motor ahora le permite controlar la cabeza perfectamente, moviéndola en todas las direcciones posibles. El reflejo de Moro comienza a desaparecer, dándole paso a acciones voluntarias como extender los brazos y agarrar objetos con más precisión. El reflejo de orientación, descrito cuando hablábamos sobre lactancia materna, desaparece completamente, pues el bebé, ayudado por su vista y una mejor coordinación motora, busca inmediatamente la fuente de alimentación (biberón o pecho).

Cuando lo acuestas boca abajo levanta la cabeza en un ángulo de 90 grados, y puede mantenerse en esta posición por largos períodos. Si lo pones de espaldas verás cómo dobla el cuello hacia adelante y se distrae viéndose los pies.

Si tu bebé todavía no se ha dado vuelta, es muy probable que lo haga en este mes; casi siempre empiezan de la barriga hacia la espalda y luego lo contrario. La posición que más les gusta es la sentada, pues pueden ver lo que los rodea con más facilidad; por supuesto necesitan todavía que les sostengan la espalda.

Otra de las actividades típicas de esta edad es la de mover las piernas como si montaran bicicleta, cuando están acostados de espaldas. Si los colocas boca abajo extienden los brazos como si fueran a volar, e inician movimientos natatorios.

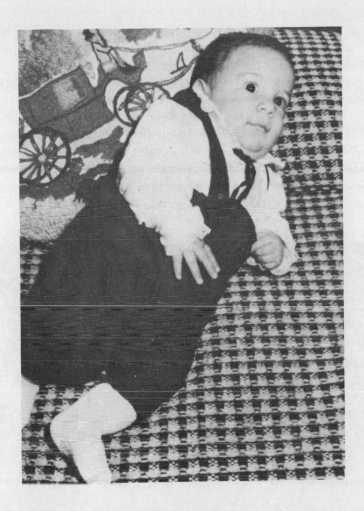

El significado de todo este despliegue motor no es otro que el de ejercitarse para el futuro gateo. Como resultado de toda esta calistenia preliminar, a algunos bebés les aparecen pequeños raspones (escoriaciones) en las rodillas y codos, lo cual no tiene mayor importancia.

Introducción de alimentos sólidos

Cuando hablamos sobre este tema en capítulos anteriores llegamos a la conclusión de que la mejor edad para comenzar a darle otro

119

tipo de comida que no fuese exclusivamente leche era *entre los 4 y los 6 meses*. Pues bien, tu bebé ya tiene 4 meses, y es ésta la fecha en que muchos especialistas en niños inician la importante transición.

Antes de empezar permíteme darte ciertos consejos de probada importancia en lo que respecta a esta crucial fase:

1) El momento de la comida debe ser siempre agradable; peleas y pérdida de la paciencia son tus peores aliados en este proceso.

2) Nunca fuerces a tu bebé a comer; si no desea esa última cucharadita respeta su decisión, pues ésta es una de las pocas situaciones sobre las cuales el bebé tiene control absoluto y puede manifestarlo no tragando, vomitando, o negando la comida.

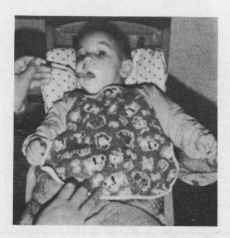 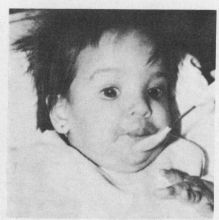

3) Permítele que juegue un poco con la comida, de esta forma aprenderá a llevarse el alimento él mismo a la boca. Existe algo llamado el "sentirse competente", que representa una fuerza interior fundamental en el desarrollo de los niños; más adelante lo mencionaré de nuevo.

4) Deja 1 semana de separación entre cada alimento nuevo que le des. Esto es importante, pues si llega a desarrollar alguna alergia alimentaria se hace más fácil la identificación de lo que se la produjo.

5) Un horario que te puede ser útil en esta transición es el siguiente:

7 a.m. –pecho, o biberón de aproximadamente 210 mililitros.

8:30 a.m. –9 a.m.– cereal y frutas.

12 p.m. –1 p.m.– pecho, sopas, vegetales (si no pecho, biberón de 210 mililitros).

4 p.m. –5 p.m.– cereal y frutas.

6:30 pm –7 pm– pecho (o biberón de 210 mililitros).

Este esquema puede variar mucho, pues depende de tu horario y del hambre del bebé.

6) Los papás deben participar en forma activa; permíteles (si es posible) que le den una de sus comidas.

7) Mantén el uso de la sal, azúcar y otros condimentos al mínimo; *la sal* en exceso está relacionada con posible hipertensión cuando sea adulto; *el azúcar* no sólo favorece las caries dentales, sino que disminuye considerablemente el apetito por otros alimentos de más valor nutricional.

8) No te olvides de lavarle muy bien las manitos al bebé antes de comer.

Cereales

Te sugiero que empieces con cereal de arroz, pues se trata del menos alergénico. Para prepararlo, basta con que mezcles una cucharada sopera llena del cereal seleccionado, con leche de fórmulas, o leche completa (de vaca) si ya el médico te la indicó. Cuando la papilla adquiera consistencia semisólida dale una cucharadita y prepárate para reírte, pues hacen gestos muy divertidos mientras aprenden a saborearlos.

Aumenta en forma gradual el número de cucharadas con que preparas su papilla hasta que llegues a 2 en la mañana y 2 en la noche. Posteriormente puedes utilizar otros cereales por separado, y por último los mixtos (arroz con avena, etc.).

Frutas (compotas y jugos)

Poco tiempo después de iniciados los cereales, puedes comenzar a darle jugos y compotas de frutas. Empieza con una cucharada mediana de compota de manzana, y auméntale hasta que el bebé se coma medio frasco a las 10 a.m. y el resto a las 4 o 5 p.m. Una semana después, ofrécele otras frutas como cambures (bananas), papaya*, peras, damasco, etc.; recuerda dejar siempre algunos días de separación entre una y otra fruta nueva.

Con los jugos puedes hacer algo similar, empezando con 30 a 60 mililitros hasta llegar a 120 ó 150 ml dos veces al día.

Los mejores jugos y compotas son los caseros; en otras palabras, si tú misma se los puedes preparar es lo ideal. Desafortunadamente, muchas de las compotas comerciales no siempre contienen pura fruta, sino que a muchas de ellas les agregan harinas, sal, azúcar y otros ingredientes que no son alimentos adecuados para los bebés; por lo tanto, les recomiendo que lean muy bien el contenido de lo que compren y piensen dos veces antes de adquirir alimentos caros y de pobre calidad nutricional.

Vegetales

Comienza a darle vegetales unas 3 semanas después de iniciadas las frutas. Al principio en puré y más adelante en pedacitos mayores; acostúmbrate a variar entre vegetales amarillos (calabaza, zanahoria, etc.) y verdes: espinacas, vainitas (chauchas), etc., para que evites en el niño una posible coloración amarilla conocida como "carotenosis", debido a un exceso de pigmentos del vegetal. Si esto te llegara a suceder, suspende el vegetal sospechado, y con el tiempo verás que desaparece sin complicación alguna. Esta coloración se observa más claramente en las palmas de las manos y plantas de los pies. De haber alguna duda, consulta con tu médico.

Carnes

Puedes empezar a dárselas 3 a 4 semanas después de iniciados los vegetales. La preparación es muy sencilla: basta con hervir a fuego lento un pedazo de carne (pollo, cordero, ternera, etc.), sazonado con poca sal y especias no irritantes frescas (perejil, cebolla, ajo, cilantro, etc.); luego la trituras y le das, en forma gradual, una cucharada, hasta que se coma aproximadamente unos 120 gramos diarios. Con el tiempo, esta cantidad puede variar según la aceptación y los requerimientos de tu bebé.

* Fruto tropical.

Reserva el pescado y los mariscos, si es posible, para más adelante, pues pueden ser bastante alergénicos.

Recuerda que probablemente tus gustos y los del bebé no son iguales, por lo tanto no hace falta que condimentes en exceso sus comidas.

Huevo

El amarillo del huevo puede empezar a dársele después de que todas las comidas hayan sido iniciadas; la clara se pospone para más adelante en vista de su potencial alergénico.

Comienza con media yema de huevo duro (algunas mamás le agregan un poco de leche para que sea más fácil de tragar), más adelante puedes dársela en forma de huevo tibio.

Cuando el bebé cumpla 8 a 9 meses de edad, si no ha presentado ninguna alergia puedes ofrecérselo completo.

Lactancia materna

Aquellas madres que deseen continuar dándole pecho a sus bebés deben tomar en cuenta la creciente curiosidad del niño por el ambiente que lo rodea; esto a veces hace que el momento de la comida se haga interminable, pues el bebé tiende a parar de succionar a menudo

Distraído con el ambiente

ya que se distrae con facilidad. Si éste es tu caso, te sugiero que le des pecho en un sitio tranquilo, libre de excesivos estímulos (ruido, gente, móviles) de manera que se concentre mejor y reciba la cantidad de leche adecuada.

A las madres que decidieron darle fórmulas les recomiendo que continúen hasta los 6 meses de edad antes de cambiar por la leche de vaca, ya que esta última puede producir alergias en algunos niños.

Hierro, vitaminas y agua

Es prudente que continúes administrándole diariamente su complejo vitamínico A, C y D; más adelante, puede ser que el médico también le indique un suplemento con hierro.

En cuanto al agua que le des, asegúrate de que siempre esté filtrada y hervida.

Cambios en el hábito intestinal

Con la introducción de alimentos sólidos, el horario para defecar se hace más regular y predecible. Por otro lado, el número de evacuaciones disminuye y con ello el número de pañales olorosos que cambiar.

Las pañalitis pueden aparecer de nuevo manifestándose a través de irritaciones perianales. Todo esto parece guardar estrecha relación con el nuevo tipo de alimentación, y el tratamiento es básicamente el mismo descrito en capítulos anteriores.

Los primeros dientes

A muchos bebés les salen sus primeros dientes (incisivos centrales inferiores) a esta edad; sin embargo, lo usual es que esto suceda más adelante. Si lo notas babeando en exceso, o metiéndose la manito en la boca al tiempo que se tira de la mandíbula o de una de las orejitas, es probable que le moleste la encía en donde le van a salir los dientes. Si le llega a dar fiebre es prudente que consultes con el médi-

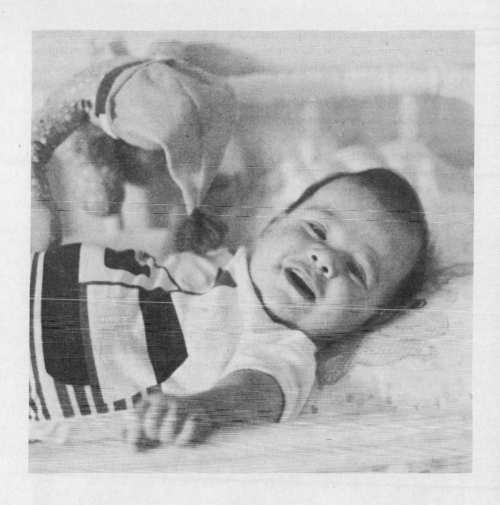

co, pues los síntomas se parecen a los de una otitis (inflamación del oído).

Muchos niños se ponen irritables y llorosos, e inclusive se "aflojan del estómago" o pierden el apetito; el dolor en la encía tiende a agravarse en la noche, probablemente debido a que el niño no se mantiene distraído con otras cosas como durante el día. Todo esto es preocupante pero no es grave en absoluto; considéralo como normal y ten paciencia, pues en unos días tiende a aparecer el dientecito responsable y es divertido notar cómo le cambia la expresión.

El tratamiento consiste en calmar el dolor frotándole algún anestésico local en la encía inflamada, 2 ó 3 veces al día; también ayuda el darles objetos de goma suaves y fríos, de manera que ellos mismos se masajeen al morderlos; esto parece ser muy efectivo en algunos bebés.

El anestésico local ha sido asociado en algunas ocasiones con procesos alérgicos y metahemoglobulinemia, por lo tanto consulta con tu médico antes de usarlo.

Un dato importante es que los dientes continúan saliendo hasta los dos años y medio aproximadamente, por lo tanto ten cuidado de no atribuirle cualquier molestia a los dientecitos, pues algunas veces existen verdaderas enfermedades a las cuales no se les presta la atención adecuada debido a este razonamiento.

El sueño

Un bebé de 4 meses de edad duerme de *8 a 10 horas seguidas en la noche*, y durante el día realiza aproximadamente *3 a 4 siestas*.

Algunas de las señales que utiliza el niño para decirte que está cansado y que quiere dormir pueden ir desde un aumento exagerado en la actividad motora hasta una disminución de la misma, acompañada de bostezos, llanto, irritabilidad, frotarse los ojos, chuparse las

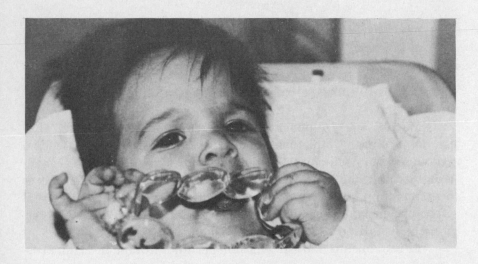

manitos, etc. Todo esto varía de bebé a bebé; sin embargo en poco tiempo conocerás lo que caracteriza al tuyo y podrás anticiparte a todo esto facilitándole la hora de dormir.

Por otro lado, si el día fue muy agitado, vienes de viaje, o el niño ha dormido en sitios diferentes al usual (casa de los abuelos, amigos, etc.), es probable que pasen varios días antes de que regularice nuevamente su horario; esto no tiene nada de particular y no significa que no debas visitar a tus familiares o amigos, pues los niños también necesitan aprender a adaptarse a ambientes y situaciones nuevas de vez en cuando.

Capacidades sensorio-motoras

Ahora tu bebé no sólo ve perfectamente en colores, sino que también es capaz de establecer correctamente las distancias y la profundidad (visión tridimensional), lo cual se acerca mucho a la visión del adulto. Continúa demostrando más preferencia por ver hacia arriba que en el plano horizontal.

La coordinación mano-vista-objeto aumenta notoriamente, demostrando anticipación al abrir su mano lo suficiente para que el objeto que va a agarrar calce sin problemas. Aunque esto parezca una

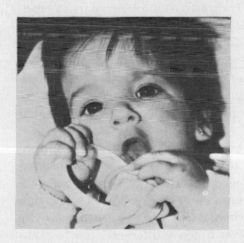

Permanencia objetiva

trivialidad, representa una marcada evolución en las capacidades sensorio-motoras del bebé.

A pesar del aumento en su capacidad visual, el sistema de exploración continúa siendo la boca; por lo tanto, cada vez que agarre un objeto verás cómo se lo lleva a la boca para estudiarlo y casi saborearlo. A medida que pase el tiempo la visión cobrará un papel más importante, y el bebé se quedará viendo el objeto detalladamente antes de llevárselo a la boca.

La audición es casi tan buena como la del adulto, y nos da la impresión de que responde cuando se lo llama por su nombre; sin embargo, lo más probable es que se trate de una respuesta relacionada con el sonido emitido y no con el significado de la palabra en sí.

Su interés por los diferentes olores parece aumentar, de modo que permítele disfrutar de la infinidad de aromas que se encuentran en el ambiente.

Como dijimos anteriormente, su capacidad para agarrar y explorar lo que está a su alcance se encuentra más desarrollada, por lo tanto es prudente que retires todos aquellos juguetes frágiles y los cambies por otros más resistentes, que pueda apretar, golpear y morder sin peligro.

Muchas mamás les colocan en la cuna verdaderos gimnasios de barras, argollas de plástico y jugetes musicales que el bebé aprende a accionar al tirar de una cuerda. Todo esto es apropiado para su edad, pero recuerda que ello no significa que debas dejar al niño demasiado tiempo en la cuna, pues aunque ésta se encuentre muy bien equipada, la mejor y más querida estimulación continúa siendo su mamá. Los objetos siempre le van a responder de la misma forma, pero las personas le proporcionan constantemente la variedad que más le gusta: risas, conversaciones, afecto y seguridad para continuar explorando todo lo que está a su alcance.

Si realizas de nuevo la experiencia mencionada en el capítulo anterior, de dejar caer un objeto (que no suene) que le llame la atención, delante de sus ojos, verás cómo es factible que lo siga con la vista; esto marca una importante etapa en el desarrollo del niño, pues representa el comienzo de la *permanencia objetiva (memoria)*. De nuevo te recuerdo que cada bebé es único y diferente, por lo tanto no tomes al pie de la letra lo antes mencionado, y si tu niño no lo hace todavía, lo hará más adelante.

El psicólogo suizo Jean Piaget nos dice que antes de alcanzar esta permanencia objetiva, el niño contempla su mundo como "a través de las ventanas de un tren en movimiento"; en otras palabras, él ve a las personas y objetos que pasan delante de su vista, pero no es capaz de retenerlos efectivamente en su memoria, y por lo tanto se desvanecen con rapidez.

Los hermanos

Si hay otro hermanito en la casa, continúa manteniéndolo en contacto con el bebé, por supuesto con la debida supervisión. Estudios sobre aprendizaje demuestran que, si bien el primer hijo recibe más atención de sus padres, el segundo aprende a más temprana edad pues imita constantemente a su hermano mayor.

El papá

El padre es muy importante para el desarrollo del bebé; su voz, reacciones, manera de cargarlo y de jugar, lo hacen ver como alguien especial y diferente en el mundo del pequeño.

Numerosos estudios han comprobado que, a excepción de los niños alimentados al seno materno, los bebés no demuestran una preferencia biológica innata por uno de los padres en especial. Esto quiere decir que el papá se encuentra en igualdad de condiciones para establecer un lazo afectivo adecuado con su hijo. Afortunadamente, muchos padres de esta generación se han dado cuenta de esto, y en vez de mantenerse ajenos a la rutina diaria de sus hijos han aprendido a bañarlos, cambiarlos, alimentarlos y dedicarles parte de su tiempo al juego, la comunicación y el aprendizaje mutuo. Como resultado, los papás conocen mucho mejor a sus hijos, y éstos a su vez se sienten más seguros y unidos a ellos.

Recuerda que todos los bebés son únicos y diferentes, por lo tanto si tu bebé no realiza algunas de las actividades señaladas es probable que lo haga más adelante.

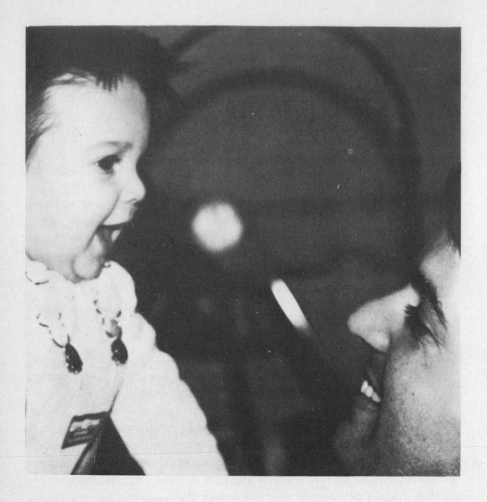

Tabla de desarrollo
Cuarto mes

Físico

—Puede darse la vuelta, de la barriga hacia la espalda.

—Cuando lo acuestas boca abajo, realiza movimientos como si estuviera nadando.

—Mueve la cabeza en todas las direcciones posibles.

—Mantiene la cabeza estable por más tiempo, y la levanta en un ángulo de 90° cuando está acostado boca abajo.

—Si está acostado de espaldas, dobla el cuello hacia adelante para verse los pies, y al mismo tiempo puede tratar de agarrárselos con las manitos.

—Se sienta, todavía con soporte.

—Usa sus manitos con más agilidad; agarra objetos utilizando la palma de la mano y todos los dedos juntos (algunas veces usa sólo algunos de ellos: índice y pulgar).

—Si tratas de sentarlo tomándolo por las manitos, verás cómo extiende las piernas y mantiene todo el cuerpo recto, desde la cabeza hasta los pies.

—*peso*: varones: 5,3-8 kg; niñas: 4,9-7,5 kg.

—*talla*: varones: 58,9-66 cm, niñas: 57,6-65 cm.

Intelectual

—Se ríe y vocaliza más delante de una cara que delante de una imagen.

—Memoria de 5 a 7 segundos.

—Diferencia mejor las caras de las personas que lo rodean.

—Se da cuenta de situaciones extrañas o diferentes.

—Comienza a adaptar sus respuestas de acuerdo con las de la gente que interactúa con él.

—Empieza a diferenciar su propio "yo" del ambiente que lo rodea.

Sensorio-motor

—Su visión se parece a la del adulto (tridimensional); ve en colores, y puede focalizar con más facilidad a diferentes distancias.

—Aumenta su interés en hacer e imitar sonidos nuevos.

—La música puede tranquilizarlo.

—Algunos bebés se quedan viendo el sitio de donde cayó el objeto (todavía no lo siguen), otros ya comienzan a seguirlo.

—Agarra objetos que estén colgados cerca de él y se los lleva a la boca.

—Aumenta su interés en los diferentes olores.

—Se da cuenta de la distancia y la profundidad.

—Puede reírse y vocalizar al ver su imagen en un espejo.

Social

—Muestra interés en diferentes juegos, y puede indicar preferencia por ciertos juguetes.

—Vocaliza, hace ruidos con la lengua, o tose cuando desea iniciar su interacción social.

—Interrumpe sus comidas con frecuencia para jugar.

—Demuestra claramente cuando se cansa o cuando quiere continuar interactuando con las personas.

Actividades sugeridas

—*Viendo su mundo*: los bebés de esta edad disfrutan viendo sus alrededores desde diferentes posiciones; trata de que pase parte de su día semisentado, con almohadas a su alrededor, o en su portabebé. Con el tiempo, los músculos de su espalda se fortalecerán, y unidos a un mejor balance le permitirán sentarse sin apoyo.

—*Libre de ropas*: si la temperatura lo permite, déjalo sin ropas con su pañal, sobre una superficie plana y suave; colócalo boca abajo, y luego boca arriba; recuerda que a esta edad comienzan a darse vuelta.

—*Agarrando las cosas*: ya a los 4 meses, los bebés empiezan a dominar la línea media, es decir, aprenden a llevarse sus manitos al centro del cuerpo y a utilizarlas como verdaderas herramientas de exploración. Cuélgale varias argollas de plástico al alcance de sus manos para que trate de agarrarlas.

—*Descubriéndote*: juega a las escondidas con el bebé; colócate las manos sobre tus ojos y descubre el rostro repentinamente; luego haz lo mismo con la cara del bebé. También puedes hacer esto utilizando un pañal de tela.

—*Viéndose los pies*: cuando esté acostado de espalda, amárrale un lazo rojo con un cascabel en uno de los pies; más tarde cámbiaselo para el otro; puedes también utilizar una media de colores.

—*Burbujas de jabón*: sopla burbujas de jabón enfrente del bebé de manera que las vea flotando, verás cómo trata de seguirlas.

—*Rodando sobre su manta*: coloca su manta sobre una superficie plana y suave (alfombra, grama), y acuesta al bebé en ella boca abajo; tira lentamente hacia arriba uno de los lados, y verás cómo el bebé gira sobre sí mismo. Premia sus esfuerzos con un beso.

—*Hablándole y cantándole*: continúa hablándole y cantándole a tu bebé; repite algunas de sus canciones favoritas, así como sus vocalizaciones. Respeta su ciclo de atención.

—*Colocando un juguete fuera de su alcance:* coloca al bebé acostado boca abajo sobre una superficie plana y suave; sitúa su juguete favorito a una corta distancia enfrente de él, y verás cómo hace esfuerzos para alcanzarlo; si notas que no lo consigue y se frustra demasiado, ayúdalo un poco; recuerda que la frustración, en dosis adecuadas, es una fuerza interna que ayuda a los bebés a desarrollarse.

—*Hora de comer*: permítele al bebé que juegue un poco con los alimentos. Enséñale la cuchara antes de metérsela en la boca.

4 meses

Nº comidas/día	p.s.m.l.	vacunas	datos
4-5	8 horas	DTP (triple) —2a. dosis— OPV (polio) —2a. dosis— HiB —2a. dosis—	edad recomenda para iniciar los alimentos sólidos.

p.s.m.l.: período de sueño más largo.

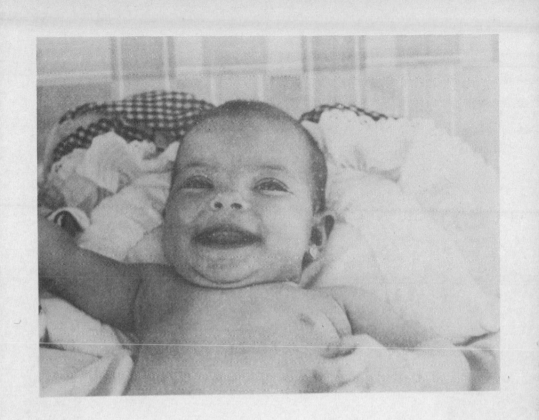

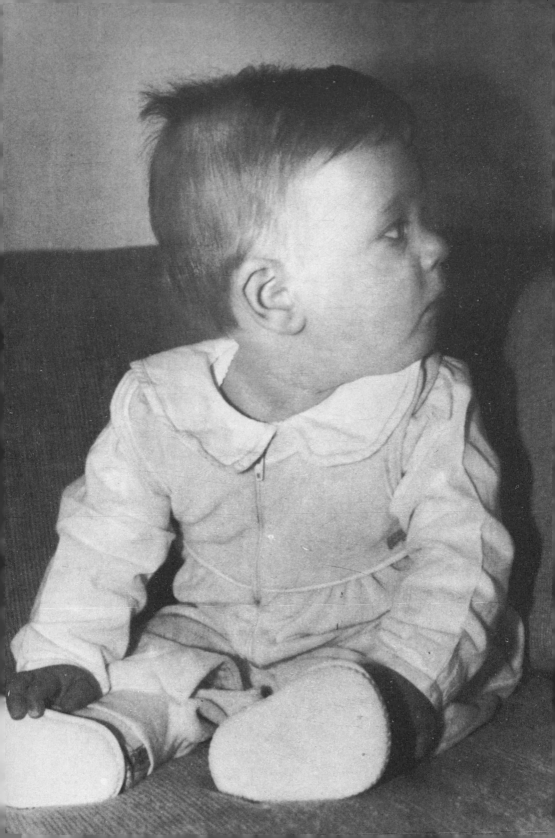

5 cinco meses

5 cinco meses

Un bebé de cinco meses se caracteriza por su creciente actividad motora; de ahora en adelante los cambios pueden ser sutiles o bruscos, pero la meta es clara: el niño busca desplazarse para ampliar su territorio de exploración.

Sin embargo, el proceso no está exento de riesgos y frustraciones; es frecuente ver a los bebés llorando y quejándose cuando comienzan a darse vuelta, a arrastrarse, o tratando de gatear. Es importante que en estos momentos no te lances en su ayuda, sino que permitas que el niño logre por sí mismo el movimiento deseado; *la frustración* es una fuerza poderosa, que en cantidades adecuadas lo impulsa a desarrollarse y a lograr sus objetivos. Aprende a observar a tu bebé en estos lapsos difíciles, te aseguro que el brillo de los ojos y la alegría que manifiestan al finalizar por ellos mismos sus pequeñas grandes hazañas no tienen comparación.

Si en un momento dado ves que la tarea que el bebé se ha pro-

puesto (agarrar un juguete demasiado lejos de él, etc.) es excesiva, ayúdalo, pero no demasiado. De nuevo, el hecho de *"sentirse competente"* parece ser un factor importante en el desarrollo infantil.

Su *capacidad social* continúa en ascenso; trata de imitar gestos simples (caras de viejita), se ríe mucho más, y responde a los sonidos humanos en forma muy definida. A estas alturas ya ha aprendido el arte de interrumpir las conversaciones ajenas, y es capaz de armar tal alboroto que con frecuencia se convierte en el centro de atracción familiar.

Ahora es común que se quede mirándote fijamente, no sólo a

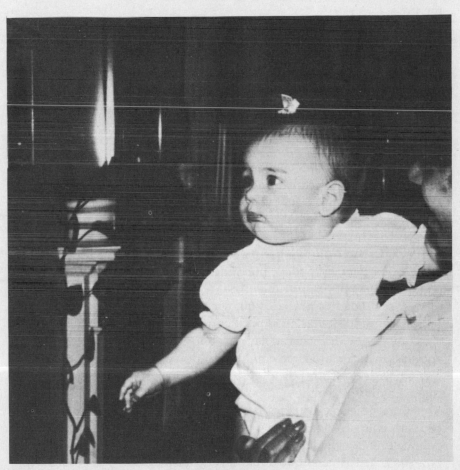

Reacción a los extraños

la cara sino al cuerpo, la ropa y los movimientos que haces; ya no tiene dudas de quiénes son sus seres queridos; de ahora en adelante comienza a tenerle *miedo o aversión a las personas que no conoce*. Una forma de disminuir esta reacción es la de darle algo de tiempo para que vea y oiga a la persona que desea cargarlo, y sugerirle a ésta que lo ignore por completo momentáneamente; de esta manera, si el bebé lo desea, es probable que le abra los brazos.

La reacción descrita se acentúa en el transcurso del primer año, y aquellos papás que no han podido compartir el tiempo suficiente con su bebé, es factible que también se vean rechazados transitoriamente.

Al final del quinto mes tu hijo tendrá aproximadamente el doble del peso al nacer, con un promedio de *6,700 kg* y una talla de *65 cm*. *El número de comidas diarias* puede variar de 3 a 5, dependiendo del bebé, y *la cantidad de leche* por toma es de 210 a 240 mililitros.

Capacidades sensorio-motoras

Los músculos del cuello alcanzan un perfecto desarrollo, y como consecuencia el control de la cabeza ya no constituye un problema. Puede mantenerse sentado, con apoyo, por mucho más tiempo, y es frecuente que doble el tronco hacia adelante para tratar de bajarse de donde esté; por lo tanto, ten mucho cuidado en esta fase de su desarrollo. Existen portabebés parecidos a una silla mecedora que son apropiados para esta edad, pues además de soportarles la espalda se adaptan a sus nuevos movimientos.

A esta edad es probable que ya se den vuelta de la espalda hacia la barriga. Si lo sientas en el piso, con las piernitas medio abiertas, verás cómo se inclina hacia adelante, y apoyado con sus manos sobre las rodillas, logra mantenerse equilibrado por un momento. Lo usual es que se caiga de lado, por lo tanto no te alejes demasiado para que lo puedas ayudar a tiempo.

Otra de las actividades favoritas es la de llevarse los pies a la boca, para chuparse los dedos y al mismo tiempo ejercitar los músculos del cuello y la espalda. Si lo pones boca abajo, no sólo eleva el tronco con sus bracitos, sino que dobla una de las piernitas y la coloca debajo de su barriga como para practicar el futuro gateo. Una forma de

Sentado con ayuda

desplazarse muy utilizada a esta edad es la de rodar sobre sí mismos, o doblar el cuerpo y empujarse con los pies sobre superficies planas; haz la prueba colocándolo cerca de una pared, y verás cómo trata de impulsarse apoyada en ella.

Como mencionamos anteriormente, muchas de estas actividades vienen acompañadas de vocalizaciones y quejidos, los cuales representan la frustración de no poder completar o repetir, algunas veces, ciertos movimientos en aprendizaje.

141

Se acentúa mucho el deseo de tocar los objetos, voltearlos, sacudirlos, pasárselos de una mano a otra, y finalmente llevárselos a la boca, en donde, además de chupárselos, ahora también los muerde.

Al agarrar y soltar una y otra vez los juguetes, y las diferentes cosas que lo rodean, el niño aprende gradualmente que no se encuentra unido a ellas, y por consiguiente al ambiente; él es algo diferente, aparte, *su "yo" comienza a tener significado*.

De forma similar, al sostener los objetos y verlos en diferentes ángulos, tapa con sus manitos partes de los mismos, confirmando la sospecha de que *las cosas no desaparecen* como por arte de magia cuando no las puede ver; él sabe que están ahí, pues las siente en la palma de su mano.

Entendiendo sus cambios de conducta

Es importante señalar que cuando un bebé avanza de un nivel a otro en su proceso de desarrollo, bien en el aspecto físico, mental, o emocional, es frecuente que aparezcan conductas diferentes a las normales; no son sólo producto del desarrollo en sí, sino también de la ansiedad que algunos de estos avances pueden producirle.

Tomemos por ejemplo la aparición de la permanencia objetiva

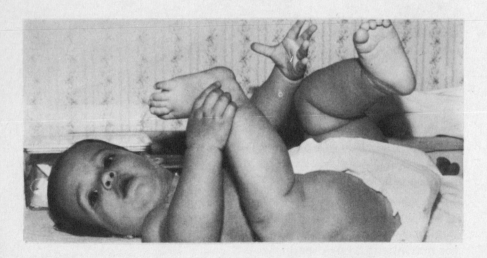

(*memoria*); el bebé es capaz de recordar a su mamá, y entonces puede presentar dificultades a la hora de dormir pues no desea separarse de sus seres queridos (*ansiedad de separación*). Otro ejemplo lo vemos en el área motora cuando el niño aprende a gatear; si de noche lo observas en su cuna, verás cómo puede realizar movimientos similares a los aprendidos durante el día, los cuales a veces lo despiertan y le dificultan el poder volverse a dormir.

La conocida psiquiatra Selma H. Fraiberg nos refiere en su libro *Los años mágicos* (1959) una interesante analogía entre la ansiedad del niño al comenzar a pararse solo, o a dar sus primeros pasos, y la ansiedad que tiene el adulto al aprender un deporte nuevo que tenga un cierto riesgo. El esquiador novato siente gran presión cuando se coloca los esquíes, y una vez que termina el día revisa mentalmente lo peligroso de sus primeros intentos; por otro lado, siente la necesidad de volver a esquiar, y repetir una y otra vez la lección hasta controlar bien el deporte; en las noches no duerme, y sus músculos repiten involuntariamente parte de los movimientos aprendidos, subiendo y bajando la montaña mentalmente hasta quedar agotado.

Por lo tanto es importante ponernos en el lugar del niño, y si bien es difícil el pensar igual que ellos, por no decir imposible, tratemos por lo menos de comprender sus pequeños grandes problemas, y aprendamos a ser pacientes durante las transiciones mencionadas.

Los cambios mencionados en la conducta no sólo incluyen alteraciones del sueño, sino que también abarcan cambios en el temperamento, apetito, afecto, y otros aspectos individuales en el bebé, que muchas veces sólo la madre puede captar.

Sus genitales

Es probable que tu bebé ya se haya descubierto su área genital, del mismo modo en que se descubrió su nariz, sus orejas o su ombligo.

Hay madres que se angustian innecesariamente y cometen el error de prohibirle esta natural exploración; como resultado, sólo hacen más atractivo y curioso el hallazgo.

Es frecuente ver al varoncito tirándose su pene y a las niñitas tocándose su vagina; todo esto es normal, y una vez que se conozcan esta nueva área perderán el interés excesivo del mismo modo que lo hicieron con otras partes de su cuerpo.

Alimentación

Darle el alimento a un bebé de cinco meses puede convertirse en una verdadera tarea, pues el niño insiste en jugar con todo lo que esté a su alrededor, y la comida es algo irresistible.

Una forma de facilitar este proceso es la de ofrecerle dos objetos (uno en cada manito), de manera que se mantenga distraído mientras tú, con paciencia, lo alimentas. Te anticipo que todos estos trucos duran poco tiempo, y lo ideal es que le permitas que haga algunos experimentos con el cereal, las compotas, o lo que le estés dando, de manera que el niño participe activamente en sus comidas, y sienta que tiene control parcial de la situación; de lo contrario, en un par de me-

ses recurrirá a estrategias extremas como no tragar, cerrar la boca, regar la comida por toda la cocina, y un sinnúmero de conductas que representan el nacimiento de una creciente y deseable autonomía.

Otro consejo práctico es el de no reírte demasiado de los graciosos desastres que haga el bebé, piensa que ellos aprenden con facilidad e inmediatamente relacionan las comidas con juego y diversión; como resultado, es posible que tengan que bañarse los dos después de cada función.

La mayoría de los bebés se adapta muy bien a los alimentos sólidos, no sólo les trae satisfacción el sabor y las texturas diferentes, sino que probablemente sienten algo agradable en sus estómagos.

El requerimiento de leche disminuye a *600 ó 720 ml por día*; debido a esto aumenta la importancia de una comida balanceada. El doctor puede sugerirte las porciones aproximadas que el bebé debe comer, sin embargo es tu hijo el que pondrá el límite, de la misma forma en que te dice que ya tomó suficiente cantidad de leche.

Recuerda que el crecimiento ahora se hace más lento, y por consiguiente el niño necesita menos cantidad de comida para mantener su actividad y desarrollo normales. Nunca lo fuerces a comerse esa "última cucharadita".

Sueño

Los bebés de esta edad duermen un promedio de *15 horas al día*; el número de siestas puede ser de tres.

Como dijimos con anterioridad, tal vez encuentres problemas a la hora de acostarlo, pues ya es capaz de recordarte bastante bien, y para ellos el dormir representa una *separación que les provoca ansiedad*. Este es el momento ideal para que se apeguen a un osito, un pañal de tela, u otro objeto suave y preferentemente hecho de un material que no provoque alergias (hipoalergénico), que haga las veces de mamá y con el cual ellos puedan dormir y compartir sus momentos de ansiedad. *Este objeto, llamado por los psicólogos "transicional"*, puede acompañar al niño hasta la edad preescolar, y para muchos de ellos representa su más valiosa posesión.

Seguridad

Si todavía no has transformado el sitio donde vives en un lugar seguro y a prueba de niños, te recomiendo que lo hagas cuanto antes. La movilidad del bebé, unida a su curiosidad, pueden ponerlo en situaciones de peligro. Tranquilamente, ya es capaz de golpear una taza de café caliente, agarrar los cables de los aparatos eléctricos, e iniciar un sinnúmero de maniobras arriesgadas con resultados indeseables.

Al final del libro existe una guía práctica para que evites algunos de los accidentes más comunes durante este primer año; te sugiero que la leas, pues dentro de muy poco tu hijo estará gateando o caminando, y te aseguro, por experiencia propia, que encuentran el peligro en los sitios menos sospechados.

Tabla de desarrollo
Quinto mes

Físico

— Se lleva los pies a la boca para chuparse los dedos y estudiárselos.

— Puede trasladarse rodando sobre sí mismo o doblando el cuerpo y empujándose con los pies sobre superficies planas.

— Se da vuelta de la barriga hacia la espalda.

— Control perfecto de la cabeza.

— Puede pasarse un objeto de una mano a la otra.

— Cuando está de espaldas, levanta la cabeza y los hombros.

— Puede sostener el biberón con una o las dos manos.

— Cuando lo colocas boca abajo, además de levantar el tronco con los bracitos dobla una de las piernitas y la coloca debajo de su barriga.

— Se sienta con soporte por períodos más largos.

—*peso:* varones: 5,8 - 8,7 kg; niñas: 5,3 - 8,7 kg.

—*talla:* varones: 60,9 - 68,3 cm; niñas: 59,4 - 67 cm.

Intelectual

— Es capaz de seguir objetos que se mueven a mayor velocidad que antes.

— Conoce a sus padres y familiares más cercanos; puede rechazar o tenerles miedo a los desconocidos.

— Las vocalizaciones se parecen a las del adulto en la entonación y en las inflexiones.

— Al caer un objeto, sigue su trayectoria y puede inclinarse para ver adónde fue.

— Reconoce situaciones extrañas (ambientes diferentes, etc.).

— Vocaliza espontáneamente para él mismo o hacia los juguetes.

— Entiende su nombre.

Sensorio-motor

— Agarra con más seguridad; avanza gradualmente hasta el objeto y luego lo agarra.

— Juega con un sonajero cuando se lo colocas en la mano.

— Puede llevarse galletas a la boca y alimentarse por él mismo.

— Alcanza los objetos con una o las dos manos.

— Imita sonidos y movimientos.

Social

— Muestra claramente miedo, rabia, o alegría.

— Responde a los sonidos humanos en forma más definida.

— Es capaz de diferenciar su imagen de la de su mamá cuando se ven en un espejo.

— Se ríe y vocaliza para iniciar contacto social o llamar la atención.

— Expresa protestas y se resiste a que le quiten un objeto que tenga agarrado.

— Es más sociable con los extraños si le dan tiempo para que los estudie desde un sitio seguro, como en los brazos de sus padres.

Actividades sugeridas

— *Espejo*: si tu bebé no tiene todavía un espejo, es bueno que se lo consigas (irrompible), a esta edad se distraen muchísimo viéndose reflejados, y si te colocas a su lado es capaz de diferenciar tu imagen de la de él, lo cual representa un avance grande comparado con meses atrás.

— *El baño*: les gusta mucho, y es increíble la cantidad de agua que algunos de ellos pueden regar; más adelante hablaremos de ciertas actividades que los bebés pueden hacer mientras los bañas, que además de distraerlos contribuyen a enriquecer su experiencia con los líquidos.

— *Anticipando*: ahora el niño demuestra anticipación; en otras palabras, es capaz de prever ciertas acciones; el juego de las escondidas le encanta. Haz la prueba y tápate la cara con las manos, de repente ábrelas para que te vea, notarás cómo se ríe y divierte. Meses antes no le era posible anticipar tu aparición, y lo más seguro es que se quedara sorprendido cuando se presentaba tu cara o algo nuevo, pues para él lo que no veía no existía.

— *Protesta*: otro avance fácil de observar es que ahora, si tratas de quitarle un juguete que tenga en sus manos, se resiste y protesta activamente.

— *Cargando al bebé*: cada vez que vayas a cargarlo, extiéndele tus brazos primero, que con el tiempo el bebé aprenderá a extender los suyos pues sabe que esta acción va asociada a que lo carguen.

— *Viéndose en las ollas*: dale al bebé una olla brillante para que se vea reflejado y juegue con ella golpeándola o rodándola.

— *Sintiendo las vibraciones*: pronuncia diferentes palabras que tengan los sonidos de la b, d, m, a, y permítele al bebé que te toque los labios al hacerlo.

— *Sonajeros*: los sonajeros son tradicionales en el mundo de los niños; el uso y significado que tiene este juguete varía de mes a mes. El hecho de agitarlos y obtener un sonido es parte del desarrollo de "causa y efecto". Ofrécele diferentes sonajeros; parece importante que el bebé sienta que tiene un efecto sobre su ambiente, a veces en forma tan sencilla como agitar un sonajero.

— *Su propia cuchara*: durante el momento de las comidas permítele al bebé que tenga su propia cuchara; de esta forma se distraerá

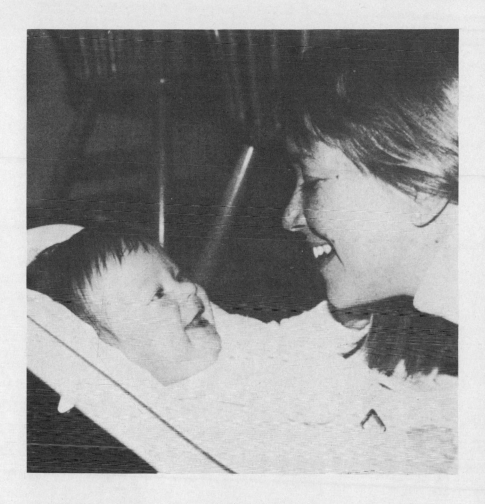

y es poco probable que agarre la otra cuchara con que lo alimentas.

— *Nombrándole las partes de su cuerpo*: cada vez que lo vistas, le cambies el pañal, o lo bañes, enséñale las partes de su cuerpo; al final del primer año, al mencionarlas el bebé las apuntará con su dedito.

— *Cara inmóvil*: en medio de una conversación que mantengas con el bebé quédate seria, sin moverte; es interesante observar la reacción del niño tratando de que interactúes de nuevo con él.

Recuerda que todos los bebés son únicos y diferentes, por lo tanto si tu bebé no realiza algunas de las actividades señaladas es probable que lo haga más adelante.

5 meses

Nº comidas/día	p.s.m.l.	vacunas	datos
4-5	8 horas	HBV3	comienza el temor a los extraños.

p.s.m.l.: período de sueño más largo.

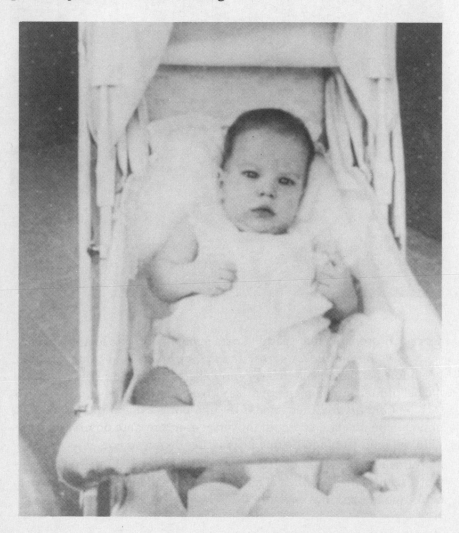

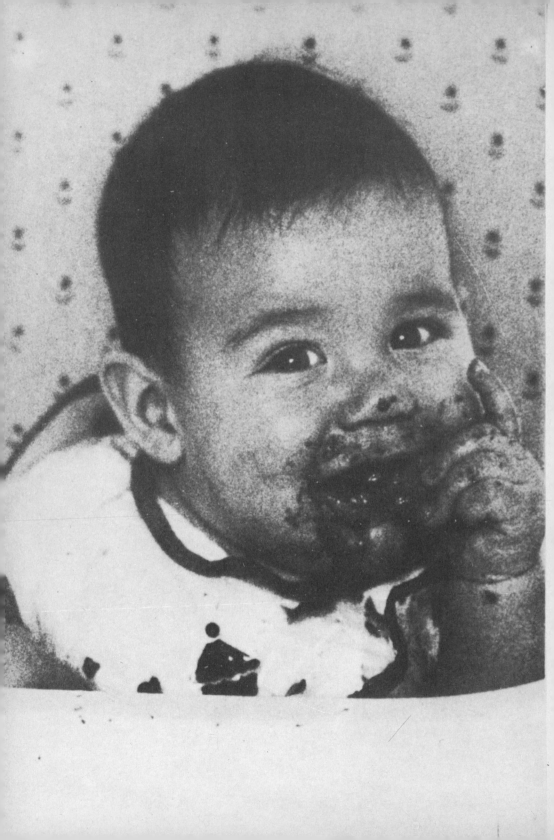

6 seis meses

6 seis meses

El resultado de medio año de crecimiento y desarrollo, sumado al amor y al esfuerzo de los padres, son evidentes en el bebé de seis meses.

En esta fecha se acentúan las diferencias en conducta, temperamento, y habilidad física de cada niño. Ya no es tan fácil tratar de compararlos con sus compañeritos de la misma edad, pues los estilos y ritmos en el desarrollo son muy numerosos; ahora más que nunca debes continuar respetando y comprendiendo lo especial y único que es tu bebé. Aquellas mamás que tengan más de un hijo es probable que ya hayan notado algunas de estas diferencias, y todo lo mencionado sólo les sirva para confirmar sus observaciones.

El doctor T. Berry Brazelton (1969) describe las *diferencias en el desarrollo infantil* durante el primer año de vida, y menciona a un grupo llamado *activo*, otro *promedio*, y otro *pasivo*, basado en el ritmo y estilo de cada bebé; entre ambos extremos (pasivos y activos) existe una infinita variedad en la que probablemente se sitúe tu bebé.

Todos los niños son únicos y particulares; mientras que algunos dedican gran parte de su tiempo a practicar cómo sentarse, darse la vuelta o arrastrarse, otros lo toman con más calma y se acuestan tranquilos limitándose a observar con detenimiento los diferentes objetos, oír las voces y ejercitar su motricidad fina (movimiento de las manos, etc.). Estos últimos se concentran en tareas que implican más atención y menos despliegue de fuerza física. Sin embargo, a la larga, todos los bebés normales alcanzan metas comunes como sentarse, caminar, o hablar; lo que varía es la forma y el tiempo en que éstos adquieren una determinada habilidad.

En resumen, no existe un orden definido para aprender o desarrollarse, y está en ti el comprender las variaciones peculiares de tu bebé. Si en algún momento tienes dudas con relación a este importante aspecto, consulta con tu médico.

Al final del sexto mes tu bebé pesará aproximadamente *7,300 kg* y medirá unos *66 cm*. *El número de comidas* diarias puede variar de 3 a 4, según el bebé, y *la cantidad de leche* por toma es de 240 mililitros.

Probablemente el médico te sugiera que cambies de las fórmulas a la leche completa, lo cual sin duda te ahorrará dinero, y por otro lado, a esta edad se minimiza la posibilidad de que presente alergias a la misma.

Las mamás que deseen continuar dándoles pecho a sus hijos es probable que encuentren dos problemas relativamente frecuentes; el primero es que la gente te preguntará muchas veces "¿Hasta cuándo le vas a dar pecho al bebé?", y el segundo es que algunos bebés ya tienen sus primeros dientecitos y pueden morderte el pezón. El primer problema se resuelve recordándote que no existe una edad específica para dejar de darle pecho a tu bebé, y que se trata de una decisión de ambos; el segundo problema puede ser un tanto complejo, depende mucho de la forma personal en que le des a entender al bebé que no está permitido morderte.

Desarrollo motor

Algunos bebés de seis meses son capaces de mantenerse parados, sosteniéndose de los muebles o de las paredes; sin embargo el balance no es todavía el ideal, y es frecuente que se caigan de lado. A partir de esta edad, la necesidad de adoptar *la posición vertical* es imperiosa, como confirmando el legado genético que nos separó de nuestros ancestros los simios.

Es probable que durante este mes el bebé empiece a arrastrarse, coordinando los brazos y las piernas hasta que los sincronice en forma alterna, y logre moverse hacia adelante. Esto último no sucede sino después de mucha práctica, y lo que se ve con frecuencia es que el bebé se mueve hacia atrás, o un poco hacia adelante para luego retroceder de nuevo y quedar en el mismo sitio. Esto no sólo desespera a los padres, sino que también produce cierta frustración en el bebé; recuerda en capítulos anteriores cuando hablábamos sobre la importancia de la misma. En esta fase muchas madres *colocan juguetes delante del niño*; de manera que éste trate de agarrarlos; es fantástico el empeño que algunos ponen para lograr su objetivo: se estiran, doblan, agitan las piernas y los brazos, y de repente... ¡ahí están!, jugando con el osito o el juguete que le hayan colocado al frente. El proceso de aprendizaje puede ser penoso y en ciertos bebés un poco más tardío.

Los niños muy gordos pueden presentar más dificultad cuando tratan de desplazarse. Es frecuente la escena del bebé obeso que llora y se queja al tratar de alcanzar un objeto cercano, sin poder conseguirlo pues el sobrepeso disminuye su agilidad; como resultado, la madre le da galletas o algún otro alimento para tranquilizarlo, y sin darse cuenta completa el ciclo: llanto-alimento-obesidad-frustración-llanto...

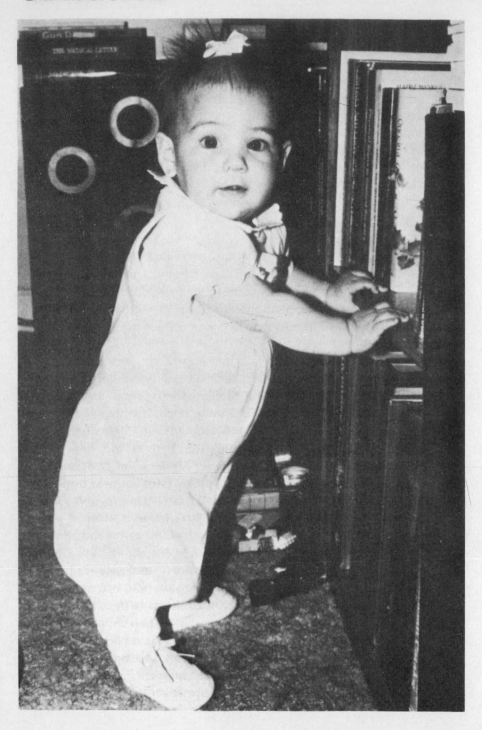

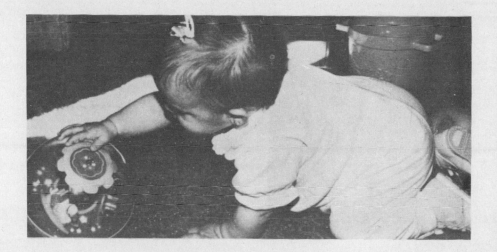

La fuerza muscular del bebé se halla concentrada principalmente en los brazos; ya debes de haber notado cómo hace verdaderas planchas para mantenerse en forma. El famoso atleta Jim Thorpe, se dice, trató de imitar todos los movimientos que hacía un bebé durante el día, y los resultados fueron que el atleta se rindió a las 4 horas, mientras que el niño continuó en su normal actividad por más de 8 horas. De esto se deduce que el trabajo físico de una mamá es difícil de comparar, sobre todo cuando el bebé aprende a desplazarse.

Otra forma para moverse, muy usada a esta edad, es la de rodar sobre ellos mismos como un tronco, de esta manera pasan de un extremo al otro del cuarto sin mayor dificultad. Te recuerdo que de ahora en adelante debes abrir y cerrar las puertas con mucho cuidado, pues los bebés tienen la especialidad de colocarse detrás de la puerta o meter los deditos debajo de la misma para ver adónde fue mamá.

Un avance importante es que pueden sentarse con un mínimo apoyo por mucho más tiempo; sin embargo al cansarse se caen de lado. Más adelante verás cómo se sienta sin ayuda y juega libremente utilizando ambas manos, sin necesidad de apoyarse en una de ellas.

El deseo constante de adoptar la posición vertical puede convertir el cambio de pañales en una verdadera odisea; algo que puede ayudarte es una caja de música, un móvil que lo distraiga momentáneamente mientras lo cambias con rapidez, o algo que sostenga en sus manos.

 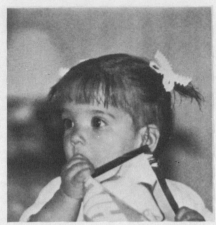

Capacidades sensorio-motoras

El bebé comienza a planificar algunas de sus conductas, y ahora demuestra cierta direccionalidad en algunas de ellas; si ve dos objetos puede decidirse por uno de ellos y luego someterlo a un proceso general de golpearlo, agitarlo, morderlo, y luego dejarlo caer para seguirlo con la vista.

El ejercicio de pasarse las cosas de una mano a la otra continúa, y a medida que lo hace se diferencia más del medio que lo rodea. La idea de tirarle del pelo a mamá, meterle los dedos en la nariz o apretarle los cachetes le fascina, aunque todavía no entiende por qué no se lo permiten.

Los objetos pequeños lo atraen mucho, sin embargo le es difícil agarrarlos con precisión pues utiliza toda la mano para hacerlo; las cosas más grandes las agarra sin problema.

A la hora de comer, es probable que se distraiga arrojando al suelo los pedacitos de comida, la cuchara, o el plato completo; en esos momentos, el pequeño científico no sólo estudia los diferentes sonidos que hacen los objetos al caer, sino que reafirma el concepto de que las cosas no desaparecen cuando no las puede ver, pues siempre terminan en algún lugar; en este caso el piso de la cocina, las paredes, y en contadas ocasiones el techo. No permitas que la experiencia tome estas dimensiones, y usando tu sentido común ponle pequeños límites. Algunos especialistas sugieren que *la disciplina comienza* cuando el niño voltea a ver a sus padres como buscando confirmar sus actos; por supuesto que esto no lo verás tan claro a esta edad, pero en pocos meses será muy fácil identificar los momentos en que el bebé solicita tu consentimiento. Más adelante me referiré de nuevo a este importante tema.

Otro detalle interesante de esta edad es la habilidad con que el bebé te sigue con la mirada cuando estás en el mismo cuarto; cuando te vayas, es importante que le hables para que él sepa dónde estás, y se quede tranquilo mientras escucha tu voz procedente de otras partes de la casa. En poco tiempo te buscará personalmente e insistirá en que lo atiendas y juegues con él una buena parte del día; por lo tanto disfruta de esta libertad temporal, pues una vez que te alcance y se agarre de tu pierna cambiará la historia totalmente.

Capacidad social

La capacidad social continúa en ascenso; sin embargo, ya no interactúa tan fácilmente con los extraños como lo hacía antes.

Los hermanitos, si los hay, constituyen una parte importante en su mundo, pueden pasar horas jugando, pues definitivamente prefieren a la gente que a los juguetes en sí.

Un avance importante lo constituye el hecho de que contesta volteándose cuando lo llaman por su nombre; asimismo, al final del mes muchos bebés son capaces de dirigir la mirada hacia ciertos objetos familiares cuando los mencionas.

Las sonrisas y carcajadas son muy frecuentes, y guardan estrecha relación con su creciente capacidad social. Su lenguaje continúa desarrollándose, vocaliza claramente algunos de sus sentimientos básicos como cuando algo le produce placer o le disgusta. Algunos bebés comienzan a decir papá o mamá pero sin un sentido claro y con una pronunciación divertida; el día que lo haga bien te sentirás inmensamente feliz, y es probable que él también lo capte, repitiéndote una y otra vez sus dos nuevas palabras, pues de alguna manera sabe que esas palabras mágicas producen gran alegría, y poco a poco las relaciona con que viene mamá a buscarlo o entonces es papá el que lo hace; en este momento el lenguaje comienza a tener significado.

Alimentación

A finales de este mes el niño estará comiendo una razonable variedad de frutas, vegetales y carnes. El apetito por la leche disminuye a unos *tres biberones de 240 ml por día*, y a partir del próximo mes en adelante puede bajar a dos biberones por día, sin que ello afecte en lo absoluto su crecimiento; esto se debe a que ahora el niño recibe una buena parte de sus calorías de los alimentos sólidos. Recuerda que los quesos, el yogur, budines y helados son hechos con leche, y que si por casualidad el bebé decide no tomarse uno de los biberones, puedes darle otros alimentos equivalentes (una rebanada cuadrada de

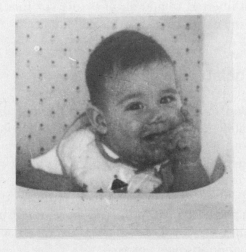

queso para sandwich corresponde a 150 ml de leche; media taza de yogur, helado o flan corresponde a 120 ml de leche).

Muchos bebés a esta edad comienzan a tomar líquidos en tacita; practica esta nueva modalidad en algunas de sus comidas.

Es tiempo de que le ofrezcas al niño pedacitos de comida pequeños y suaves, como vegetales hervidos (papas, zanahorias, calabaza), o también de frutas como banana, papaya, manzana, etc., para que los agarre él solo de uno en uno con su manito; si por acaso tose demasiado o se ahoga, límpiale inmediatamente la boca, quitándole si es posible los restos de comida que tenga dentro de ella; colócalo inclinado hacia adelante en tus piernas, y dale golpecitos en la espalda. Usualmente este estímulo es suficiente para que respire de nuevo. Si crees que todavía no está preparado para estos pedacitos, espera una semana y prueba de nuevo.

Aprovecho para sugerirte que leas el capítulo sobre seguridad y primeros auxilios, en donde se describen con más detalle las maniobras respiratorias de emergencia.

Tabla de desarrollo
Sexto mes

Físico

— Se da vuelta de la espalda a la barriga.

— Puede levantar el cuerpo, apoyado en sus manos y rodillas.

— Se arrastra sobre la barriga impulsándose con las piernas y los brazos; puede hacerlo hacia atrás o hacia adelante.

— Se balancea bien cuando lo sientas, pero todavía necesita un cierto soporte.

— Cuando ·rueda de la espalda hacia la barriga, dobla el cuerpo de tal forma que parece como si se fuera a sentar.

— Con suficiente apoyo puede mantenerse parado.

— Dobla la cabeza con facilidad en cualquier dirección posible.

— *peso*: varones: 6,3 - 9,4 kg; niñas: 5,7 - 9 kg.

— *talla*: varones: 62,9 - 70,3 cm; niñas: 60,9 - 68,8 cm.

Intelectual

— Inspecciona los objetos con más detenimiento.

— Agarra rápidamente y con seguridad algo que le interese o le llame la atención.

— Puede comparar dos objetos.

— Le gusta observar las cosas en diferentes posiciones y perspectivas.

— Tiene cambios bruscos en el humor; expresa muy bien cuándo está contento o disgustado.

— Tiene mejor control de los sonidos que hace; utiliza mayor número de consonantes (f, v, z, m, n, s).

161

Sensorio-motor

— Le gusta jugar con la comida.

— Sostiene un taco de madera (juguete), puede agarrar otro, y se queda observando un tercero, como tratando de imaginar la forma de almacenarlos todos.

— Disfruta más la música.

— Demuestra un creciente interés por alimentarse él mismo.

— Desarrolla preferencias por determinados sabores en las comidas.

— Aprende a girar las muñecas para voltear y manipular objetos.

— Puede comenzar a tomar líquidos en una tacita.

— A menudo prefiere agarrar los objetos con una mano que con las dos.

Social

— Balbucea y aumenta su actividad motora cuando escucha sonidos que le gustan.

— Responde con más facilidad a las voces de mujer (tonos agudos) con vocalizaciones y balbuceos.

— Definitivamente, prefiere jugar con la gente que con cosas inanimadas.

— Trata de imitar expresiones faciales.

— Se voltea cuando oye su nombre.

— Se ríe delante de su imagen en el espejo.

— Lo perturban las personas que no conoce.

Actividades sugeridas

La impaciencia por aumentar los conocimientos de tu bebé probablemente no sea lo más apropiado para favorecer su evolución, pero sí lo es el ofrecerle un ambiente adecuado, en donde se respeten sus capacidades individuales acordes con su edad y desarrollo; de esta forma es factible que le garantices una adaptación óptima a la sociedad en donde vive.

— *Andaderas y sillitas colgantes*: a esta edad, las andaderas y las sillitas que cuelgan de un resorte (ver foto), le permiten al bebé ejer-

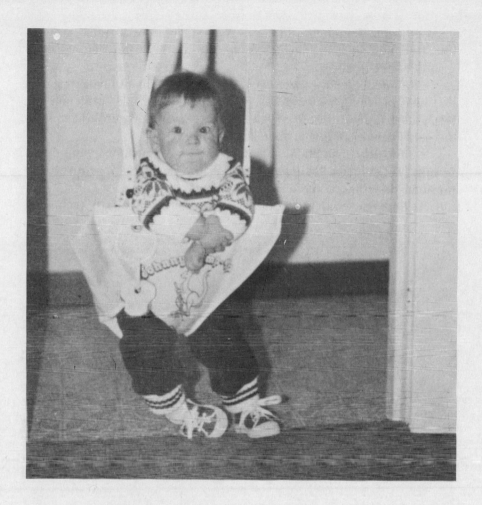

citar y fortalecer los músculos de las piernas, y le dan oportunidad para ver las cosas desde la posición vertical, algo que le gusta cada vez más.

— *Variedad*: dale objetos de varios tamaños y texturas para que los muerda, los golpee o los deje caer al piso (cuidar que no los trague).

— *Conversando*: continúa hablándole y repitiéndole sus vocalizaciones y palabras, siempre llevándole el paso y esperando su contestación.

— *El piso*: a esta edad, los bebés necesitan permanecer bastante tiempo en el piso, de manera que puedan practicar los diferentes movimientos que finalmente lo conduzcan a gatear, arrastrarse, o continuar rodando sobre sí mismos; si ves que no le gusta, siéntate en el piso y juega con él.

— *El juego de las escondidas*: continúa siendo su favorito y puede tomar variaciones numerosas, como la de cubrirle la carita con una tela y dejar que él mismo se la quite, y entonces preguntarle en dónde está el nene para que él aparezca sonriente.

— *Amiguitos*: invita a un amigo(a) para que jueguen, verás cómo se observan y hacen los más divertidos "comentarios"; se investigan mutuamente como si fuesen juguetes.

— *Bombas*: coloca dos tazas de agua en una olla o recipiente

grande; infla dos o tres globos de colores de los pequeños (no demasiado), mételos en el recipiente y apriétalos para que hagan diferentes sonidos. Pronto verás cómo el nene te imita y comienza a obtener un sinnúmero de ruidos por él mismo. (Supervisa ésta como todas sus actividades; podría tragarse una bomba vacía, lo cual es muy peligroso.)

— *Gateando*: si ya tu bebé se ha decidido a gatear o arrastrarse, colócale almohadas de diferentes texturas para que gatee sobre ellas; asimismo, ponle juguetes que le gusten como por ejemplo una pelota de colores, para que trate de alcanzarla. Esto los divierte muchísimo.

— *Resolviendo problemas*: escóndele parcialmente su juguete fa-

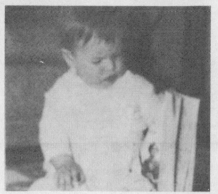

vorito tapándoselo con una sabanita. El bebé aprenderá pronto a agarrar la parte del juguete que puede ver, y con el tiempo lo verás tirando de la sabanita para descubrirlo.

Otro problema interesante es el de darle un tercer objeto, una vez que tiene ambas manitos ocupadas, para ver qué hace; pronto será capaz de almacenarlos con sus dos manitos o debajo del brazo.

–*Siguiendo con la vista*: desliza un objeto llamativo encima de la mesa hasta llegar al borde de la misma y déjalo caer, verás cómo lo sigue con la mirada. En un futuro repetirá la misma experiencia una y otra vez a la hora de la comida, pues ahora sabe que los objetos no desaparecen cuando no puede verlos, sino que van a parar a algún lugar.

6 meses

Nº comidas/día	p.s.m.l.	vacunas	datos
3-4	12 horas	DPT (triple) (3a. dosis) OPV (polio) (3a. dosis) HiB (3a. dosis)	desarrolla preferencia por determinados sabores en sus comidas.

p.s.m.l.: período de sueño más largo.

165

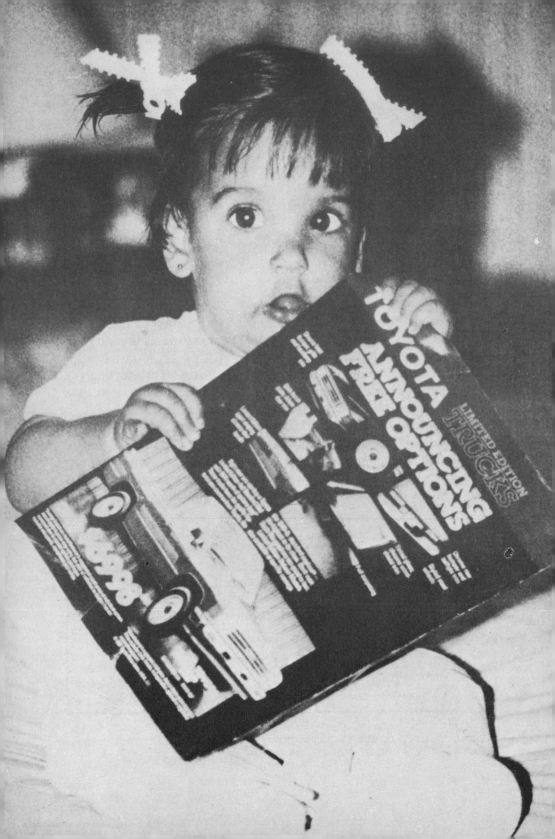

TOYOTA ANNOUNCING FREE OPTIONS

LIMITED EDITION TRUCKS

7 siete meses

7 siete meses

A estas alturas nadie mejor que la madre conoce a su bebé; las sugerencias de este libro, el consejo de familiares y amigos, los podrás aceptar o rechazar con más autoridad, pues medio año de experiencia te capacitan para hacerlo.

La habilidad de los padres para entender al bebé crece día a día; a esta edad ya habrás notado que su atención, su movilidad, su capacidad para interactuar con los demás y su lenguaje continúan en ascenso. Sus comidas, el baño y la hora de dormir te ofrecerán nuevos retos a medida que el niño comience a demostrar más autonomía.

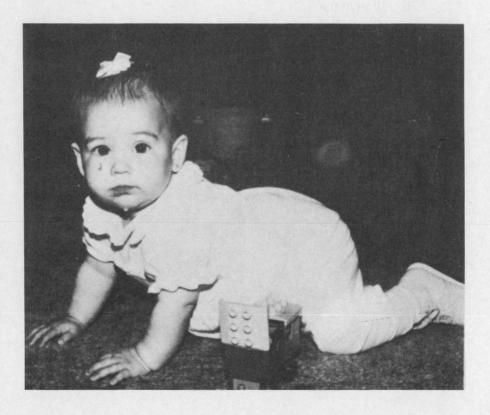

Siguiendo a mamá

El crecimiento y el desarrollo lo obligan a alejarse físicamente de su mamá para explorar y aventurarse en todos los rincones de la casa; sin embargo, al poco tiempo le es preciso regresar a la base y llenarse de nuevo con la energía afectiva que le ofrecen sus padres.

Blatz (1966) fue el primero en describir cómo los niños pequeños usan a su mamá como una base de seguridad, y nos dice que la seguridad "dependiente" que desarrollan en relación con sus padres sirve como punto de partida de donde ellos obtienen el valor para vencer la inseguridad que les provoca la exploración de un mundo nuevo y la adquisición de nuevas habilidades. Con el tiempo, el niño formará las bases de una seguridad esta vez "independiente".

Es interesante mencionar que los bebés tienden a ser más curiosos e investigan más sus alrededores en la presencia de su mamá.

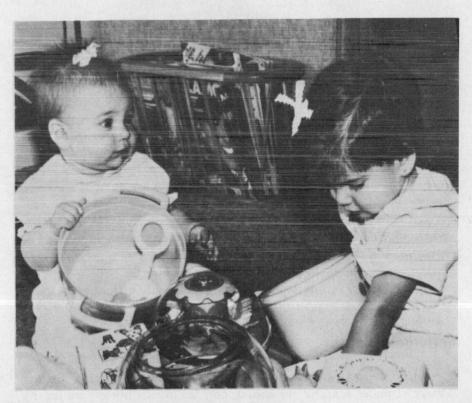

Interacción

Los hermanitos, si los hay, constituyen una fuente inagotable de estimulación y alegría para el bebé. Obsérvalos y verás las situaciones más interesantes y divertidas. Por increíble que parezca, muchos bebés son capaces de aguantar los juegos más rudos, sin ponerse a llorar, con tal de que sus hermanitos estén a su alrededor. Esto te dará una idea de la importancia que le dan a la interacción social.

Al final de este mes, el peso y la talla promedio serán respectivamente de *8 kg* y *68 cm. El número de comidas diarias* es de 3 a 4, y *la cantidad de leche* por toma es de 240 ml; como siempre, todo esto dependerá mucho de los requerimientos del bebé.

El color de los ojos tiende a permanecer igual a partir de este mes.

Actividad motora

Uno de los logros más importantes en el aspecto motor lo constituye el poder *sentarse sin apoyo*, con las manos libres para jugar y manipular los objetos. Muchos bebés todavía precisan de algo en qué sostenerse, pero con el tiempo, el control de los músculos de la espalda eliminarán esta necesidad.

Es emocionante verlos sentados, jugando solos como niños mayores; es probable que te sientas orgullosa al verlo crecer y hacerse poco a poco menos dependiente; muy pronto estará gateando, arrastrándose, o entonces ya haya inventado su propio sistema para desplazarse de aquí para allá.

Aprovecho para aclarar un punto importante relacionado con este tema; *hay un buen número de bebés que nunca gatean* y que sin embargo se mueven por toda la casa sin problemas; cuando les llega el momento pueden aprender a caminar sin haber gateado nunca. En otras palabras, es falsa la afirmación de que los niños que no gatearon no aprenden a caminar posteriormente.

Los bebés tienden a dejar un sinnúmero de pistas al desplazarse, como para que sus padres no los pierdan jamás de vista; me refiero a la línea de migas de pan, galletas, pasitas, pedazos de papel y juguetes que pareciera seguirlos eternamente.

Ahora puede pararse solo, agarrándose de las patas de las sillas, las mesas, o las piernas de las personas; las caídas son más frecuentes, y, por consiguiente, debes tratar en lo posible de anticiparte a ellas. Esto no significa que tengas que estar detrás de él como un guardaespalda, pues caerse, es también parte de su aprendizaje.

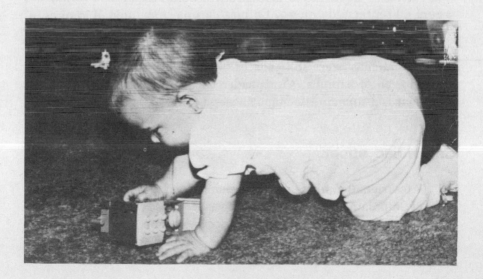

Algo muy característico de esta edad es que se arrastran llevando un objeto en las manos; el deseo de utilizarlas es tan grande que siempre las tienen ocupadas con algo. Otra de las capacidades nuevas del bebé es la de oponer el dedo pulgar a los otros dedos de la mano; esto le facilita agarrar los objetos más pequeños con mayor destreza.

Una de las preguntas que las madres se hacen con frecuencia es *cuándo los bebés se deciden utilizar una mano más que la otra*; muchos niños comienzan a preferir el lado derecho o el izquierdo (dominancia) de sus cuerpos a los tres o cuatro meses de edad; sin embargo, la gran mayoría usa ambas manos durante el primer año de vida. Te sugiero que no lo fuerces a utilizar una u otra, y más bien le coloques o le des los objetos en la línea media, de manera que sea él quien lo decida en forma natural. La "dominancia" se considera estable a los 5 años de edad, y algunos estudios (Goodall, 1980) sugieren que no se fija sino a los 9 años aproximadamente.

La frustración de no poder moverse de un sitio a otro puede disminuir; sin embargo, cada vez que se inicie una etapa nueva con cierto riesgo para el bebé podrán presentarse situaciones regresivas en donde el niño tienda a comportarse más sensible e irritable y manifieste trastornos transitorios del sueño, la alimentación, etcétera.

Muchos nenes, como ya mencionamos, *pueden pararse solos*, agarrándose de los muebles o de la gente; sin embargo, una vez que están arriba es frecuente verlos pensativos como ideando la forma más segura de sentarse de nuevo. En más de una oportunidad lo oirás pidiendo auxilio en su misterioso lenguaje, como diciendo "bájenme a tierra firme"; si por casualidad lo hace desde su cuna, asómate a verlo, pues muchas veces son capaces de quedarse dormidos paraditos, apoyados en la baranda. Afortunadamente los bebés aprenden en pocas semanas a superar esta etapa al caerse sentados una y otra vez.

Capacidad social

A esta edad el niño empieza a demostrar su sentido del humor y aprende rápidamente a provocar a la gente. Si se te cae una cosa en la cocina o sucede algo inesperado, es probable que lo veas sonriente y agitado como si encontrara el evento de lo más divertido.

Su habilidad para anticipar las cosas aumenta considerablemen-

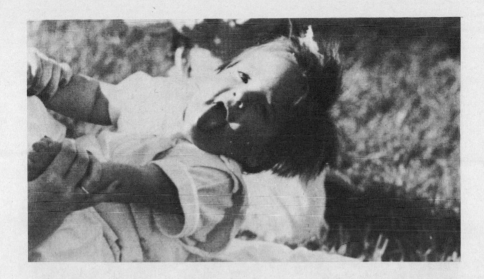

te; el juego de las escondidas continúa siendo uno de sus favoritos. El ruido de la puerta al abrirse, o el del automóvil llegando a determinadas horas, comienza a relacionarlo con que llegó papá del trabajo, y entonces se alegra, vocaliza y mueve sus manitos como diciendo "¡qué bueno que llegaste!".

La presencia de niños en edades similares a la suya le gusta muchísimo, y definitivamente prefieren jugar con ellos a hacerlo con adultos; de alguna manera reconoce que se parecen a él, hablan y se mueven como él, y el tamaño parecería facilitar el contacto social. Así pues, si tienes oportunidad de presentarle otros compañeritos, no dejes de hacerlo, pues constituyen un estímulo muy importante.

La palabra "no" comienza a tener significado, no tanto por la palabra en sí, sino por la expresión y el tono del que la usa. A estas alturas es factible que te pida más autonomía e independencia a la hora de sus comidas; te recomiendo que se la concedas permitiéndole que se lleve a la boca pedacitos de comida por él mismo, como mencionamos en páginas anteriores.

Dientes

Cuando hablamos sobre este tema en el cuarto mes, señalamos algunos de los síntomas que acompañan la salida de los dientes, y des-

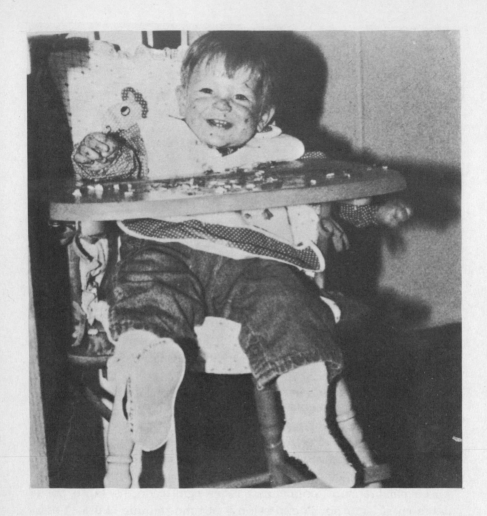

taqué la importancia de no atribuirle al proceso normal de la dentición todo dolor o malestar que tenga el niño, pues correríamos con el riesgo de descuidarnos ante verdaderas enfermedades.

A esta edad, muchos bebés probablemente ya tengan 1 ó 2 dientes; usualmente son los incisivos inferiores los primeros en aparecer; sin embargo, patrones diferentes en el orden y el tiempo de aparición pueden guardar relación con los de la familia.

A continuación presento un esquema donde aparece, en forma cronológica, la erupción de los dientes:

Dientes
superiores

Incisivos . . . .   8-10 meses

Molares 12-15meses

Colmillos. . . . .   18-24 meses

Molares . . . . 20-30 meses

Incisivos
Colmillos
Molares

Molares
Colmillos
Incisivos

Dientes
inferiores

Incisivos . . . .   6- 8 meses

Incisivos . . . . 12-15 meses

Molares . . . . 12-15 meses

Colmillos. . . . .   18-24 meses

Molares . . . . 20-30 meses

Tan pronto como al bebé le salga su primer diente, puedes comenzar a limpiárselo en forma regular; recuerda que en donde existen dientes siempre habrá el riesgo de que se forme una placa bacteriana, y posteriormente aparezca una caries. La forma usual de hacerlo es con una gasa en cuadros o un pañito limpio (seco o húmedo), con el cual frotes suavemente la superficie del diente y remuevas la placa mencionada; esto lo puedes hacer una vez al día durante el primer año. Si el nene se resiste, no lo fuerces y trata de nuevo más adelante; recuerda que la boca es un área muy importante y delicada para el niño, pues con ella estudia su mundo y es por ella por donde entran los alimentos. Como resultado, cualquier conflicto que involucre esta área puede originar cambios negativos en la conducta del bebé, como podría ser el rehusarse a comer.

Alimentación

Una duda que con frecuencia pasa por la mente de las mamás es si el bebé se está alimentando lo suficiente, sobre todo cuando se trata de uno de estos niños que, con gran determinación, sólo comen lo que desean o lo hacen en forma irregular.

Especialistas en desarrollo infantil sostienen que *la cantidad mínima de comida* que un bebé normal necesita para crecer a partir de este mes, y hasta comienzos del segundo año, es asombrosamente menor de lo que las madres piensan. El gasto calórico de un día normal en el bebé está cubierto si tu bebé está recibiendo lo siguiente: una preparación multivitamínica, 2 biberones de 240 ml de leche (o su equivalente en yogur, queso, etc.), 60 grs de proteína que contenga hierro (como puede ser 1 huevo, o carne de hamburguesa, o media compota* de las de carne), y 60 grs (o media compota) de vegetales frescos en donde alternes los verdes con los amarillos.

Todo lo mencionado es suficiente para que crezca y se desarrolle sin problemas. Como habrás notado, no se trata de una gran cantidad de comida, y por lo general es mucho más que esto lo que come un bebé que parecería ingerir en forma insuficiente.

De cualquier modo, en su control médico mensual podrás comprobar el peso y la talla de tu hijo, y si hay algún problema, el médico te sugerirá aumentos o disminuciones en la cantidad de sus alimentos.

* Preparado comercial.

Tabla de desarrollo
Séptimo mes

Físico

—Se sienta sin soporte por mucho más tiempo y usa sus manos libremente para jugar.

—Se arrastra con un objeto en una o en ambas manos; usualmente lo hace hacia adelante.

—Algunos pueden comenzar a gatear (barriga separada del suelo).

—Se balancea mucho mejor cuando está parado con apoyo; le gusta mucho esta posición.

—Algunos pueden sentarse solos a partir de la posición horizontal, utilizando los brazos como si se dieran la vuelta, o llevando las piernas hacia adelante cuando se encuentran en posición de gateo.

—Comienza a oponer el dedo pulgar hacia los otros.

—Puede pararse solo, agarrándose de los muebles o de las personas.

—*peso*: varones: 6,7-10 kg; niñas: 6,1 - 9,7 kg.

—*talla*: varones: 64 72,1 cm; niñas: 62,4 - 70,6 cm.

Intelectual

—Se concentra más en los detalles de las cosas.

—Responde con anticipación a la repetición de algún evento o señal.

—Comienza a aprender las implicaciones de actos conocidos.

—Puede asociar la fotografía de un bebé con él mismo y hacer un sonido apropiado.

—Usa 4 o más sílabas bien definidas. Muchos bebés dicen su primera palabra en un rango tan amplio como de 8 a 18 meses (Helen Bee, 1975).

—Algunos dicen papá o mamá sin entender todavía el significado.

—Trata de imitar sonidos o series de ellos.

—Busca brevemente un objeto que se le haya desaparecido.

—Se interesa en el resultado de algunas de sus acciones, y es capaz de recordarlas.

Golpeando tacos

Sensorio-motor

—Agarra dos objetos simultáneamente y los golpea uno contra el otro.

—Juega vigorosamente con juguetes que hagan ruido, como una campana o una maraquita.

—Sostiene y manipula, en plan de juego, una cuchara o una tacita.

—Distingue en el espacio objetos cercanos o lejanos.

—Se estudia el cuerpo con las manos y la boca.

—Agarra cualquier objeto y lo somete a un tratamiento general de apretarlo, golpearlo, agitarlo y llevárselo a la boca.

Social

—Comienza a demostrar humor y aprende a provocar a la gente.

—Aprende el significado de la palabra "no" por el tono de la voz.

—Demuestra deseos de ser incluido en la interacción social.

—Se resiste a hacer algo que no desee.

—Exige independencia en las comidas.

Actividades sugeridas

—*Nombrando juguetes*: ofrécele diferentes juguetes con nombres fáciles, y menciónaselos a medida que se los des; por ejemplo: taza, pelota, etcétera.

—*Jugando de pie*: si el bebé ya se mantiene parado, sostenido de algo firme, colócale algunos de sus juguetes favoritos alineados sobre una mesa a su altura, de manera que los agarre desplazándose de uno a otro.

—*Espejo*: ayuda al bebé a que investigue las imágenes del espejo; enséñale un objeto y luego colócalo enfrente del mismo, verás cómo

su vista se mueve del espejo al juguete como tratando de resolver el misterio.

—*Juguetes que suenen*: día a día, el bebé descubre que puede afectar su medio; ofrécele juguetes que hagan algún sonido cuando los aprieta, muerde o arroja.

—*Tirando de una cinta*: algo que les divierte mucho a esta edad es el tirar de una tela larga o una cinta por un extremo, al tiempo en que tú haces lo mismo por el otro lado; esta especie de contienda los atrae mucho, siempre que le permitas ganar a menudo.

—*Pequeños objetos*: a esta edad, la capacidad para agarrar pequeños objetos crece considerablemente; ofrécele pelotas, bloques, etc, de manera que practique su "pinza". Supervisa siempre esta actividad para que no haya peligro de que se los trague.

—*Escondiéndolo en la mano*: agarra un juguete pequeño y llamativo en la palma de tu mano y ciérrala en presencia del bebé; trata de que averigüe en cuál de las manos se encuentra.

—*Objetos que floten*: colócale diversos juguetes en la bañera, y mételo dentro de ella con poca agua (2 a 3 cm); ayúdalo a examinarlos.

—*Comiendo en su mesita*: colócale varios espaguetis sobre su mesa de comer; es increíble cómo se distraen tratando de agarrarlos.

—*Apagando la luz*: enséñale al bebé dónde se prende y apaga la luz, y realizando el movimiento correspondiente le dices "prendido" y "apagado", "oscuro" y "claro".

—*Leyéndole a tu bebé*: acostúmbrate a leerle cuentos de figuras alegres y fáciles de reconocer; los momentos antes de dormir son muy apropiados.

Recuerda que todos los bebés son únicos y diferentes, por lo tanto si tu bebé no realiza algunas de las actividades señaladas es probable que lo haga más adelante.

7 meses

N° comidas/día	p.s.m.l.	vacunas	datos
3—4	12 horas	. . . . . .	permítele participar activamente a la hora de comer, poniéndole trocitos de alimento que él mismo se lleve a la boca (de 1 en 1).

p.s.m.l.: período de sueño más largo.

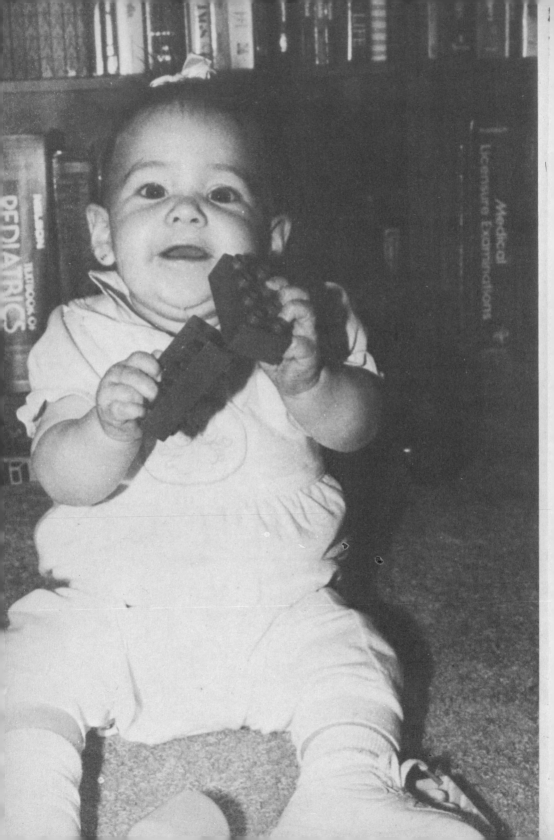

8 ocho meses

8 ocho meses

Esta es la edad de la curiosidad; el bebé se encuentra trabajando a tiempo completo, explorando, asimilando y almacenando todos sus descubrimientos intelectuales.

Si tratas de prohibirle o de restringirle sus investigaciones, se pone bravo y te mira como diciendo "¿cómo te atreves a interrumpir mis estudios de este ambiente fabuloso?"; sin embargo, su experiencia es limitada, y debido a esto es necesario que siempre estés cerca para prevenir posibles accidentes.

Desgraciadamente, existen momentos en los cuales es muy poco

lo que se le puede explicar al bebé, pues su *pensamiento no es todavía lógico*, y la fuerza de la curiosidad lo obliga una y otra vez a agarrar el cenicero prohibido, a tirar del mantel de la mesa, o a cerrar la puerta sin cuidado y a punto de agarrarse los deditos. Todo esto que menciono es muy importante para que comprendas a tu bebé, y no llegues fácilmente a desesperarte y a tomar medidas drásticas, como pegarle en la mano o gritarle, dándole las explicaciones más complejas sobre las consecuencias de su conducta; él, simplemente, no está todavía en capacidad para comprenderte.

El bebé *necesita disciplina*, y sobre todo conocer sus límites; una de las formas tradicionales es el "NO", que a estas alturas ya comienza a relacionar con ciertos objetos y actos; ¿pero cuántos "NO" puede tolerar un bebé?; ponte en su lugar y piensa lo difícil que debe ser controlarse sin entender la razón, y aguantar continuamente el que le nieguen lo que más quiere: tocar, morder, y estudiar todo lo que lo rodea. La solución no es fácil y depende mucho de tu paciencia y del temperamento del niño.

En la experiencia de algunos autores y en la mía personal existen varias fomas de aminorar esta perpetua negación, y al mismo tiempo darle chance al bebé para que continúe su tarea. Lo primero que te sugiero es *constancia*; trázate tus propias reglas, y si decides que hay ciertas cosas en la casa que no se deben tocar o hacer, todos en la familia deben enterarse de tu decisión, de manera que el pequeño no reciba mensajes diferentes y se confunda; en otras palabras, lo que no está permitido agarrar hoy, tampoco lo estará mañana. Esto parece fácil, pero si el empeño del bebé sobrepasa los límites de tu paciencia, cambia el objeto por otro o retira al niño del sitio.

No hace falta que le pegues, pues esto sólo ayuda a que tú te descargues, y en algunos casos puede que suplante por miedo la necesaria curiosidad del bebé en investigar las cosas. Recuerda que es a partir de los 2 años aproximadamente que los niños comienzan a razonar, y lo hacen todavía en forma *prelógica* (Piaget, 1952); por lo tanto, no esperes que un bebé tan pequeño comprenda por qué te pones brava cuando no hace siempre lo que le dices.

Una frase corta, mirándolo en la cara, en el mismo momento en que realiza la conducta indeseada, suele ser suficiente. Ofrécele un ambiente seguro en donde tenga sus juguetes favoritos y en donde pueda moverse e investigar a su antojo.

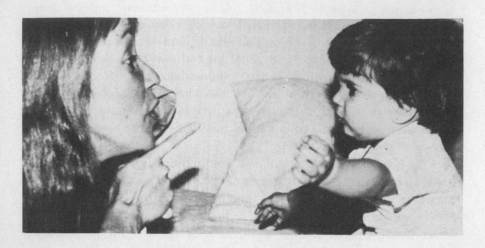

Comienza la disciplina

Más adelante me referiré de nuevo a este tema tan importante, en donde la meta final es que el niño, con el tiempo, aprenda a controlarse.

Al final de este mes el peso y la talla promedio serán respectivamente de *8,700 kg* y *70 cm*. *El número de comidas diarias* es de 3, y *la cantidad de leche* por toma es de 240 ml; como siempre, esto dependerá mucho de los requerimientos del niño. Hasta finales del primer año, la gran mayoría de ellos necesitarán dos meriendas que suplementen sus tres comidas principales.

Capacidad intelectual

El bebé comienza a demostrar memoria del tiempo y es capaz de recordar algunas de sus propias acciones. Resuelve problemas sencillos, como tirar de una cuerda para alcanzar un objeto atado a ella; aprende a golpear con los pies o con las manitos cualquier juguete o cosa que esté colgando a su alcance, para ver si se cae y lo agarra.

Cuando dice papá o mamá lo hace en forma mas específica, y espera una respuesta de los mismos pues ahora los diferencia perfectamente.

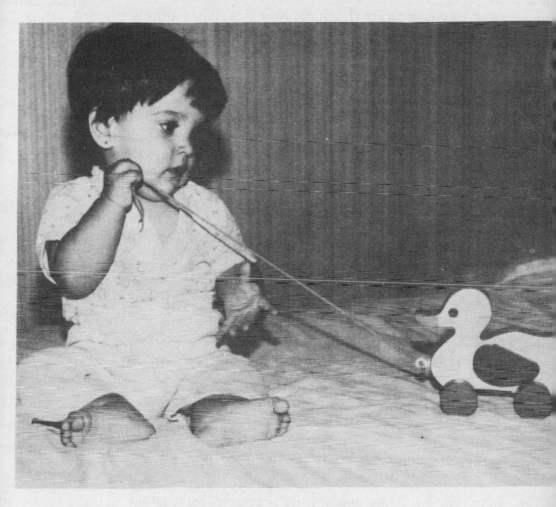

Utilizando el medio para obtener su fin

En esta etapa del desarrollo algunos bebés presentan lo que en psicología se llama **Gestalt**, que no es otra cosa que la percepción del todo sin enfatizar en sus partes individuales; aclarando un poco más el concepto, si tu bebé está acostumbrado a jugar en un determinado cuarto, y le mueves una sillita, una mesa, o modificas la posición de algún objeto, es probable que notes cómo el niño va directamente al lugar en donde hiciste el cambio, pues en su mente tiene el esquema de lo que normalmente está en ese cuarto y de la aproximada distribución del mismo. Por esta razón, muchas madres se sorprenden al ver cómo el bebé es capaz de encontrar tan rápidamente las llaves, la cartera, o cualquier cosa olvidada en sus dominios.

A esta edad comienza a establecer un estilo personal de aprendizaje y combinando conductas conocidas origina otras nuevas, que pueden o no llevarlo a su objetivo (*ensayo y error*).

Algunos bebés son capaces de encontrar un objeto si se lo escondes mientras te observa al hacerlo; haz la prueba, y con un pañal o una tela cualquiera cúbrele un juguete pequeño que le guste, verás cómc

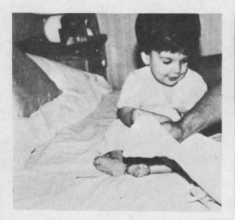 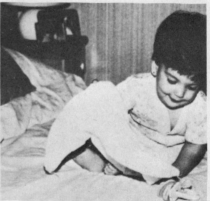

Escondiendo el objeto *Permanencia objetiva*

es factible que lo descubra y se ría complacido. Si lo último mencionado no lo hace aún no te preocupes, pues con seguridad lo hará pronto; esta capacidad cognoscitiva aparece entre los y los 12 meses.

Actividad motora

Es muy probable que el bebé se mantenga sentado sin soporte por bastante tiempo. Algunos de ellos pueden pasar a esta posición a partir de la horizontal (acostados), sin ayuda alguna.

Como dijimos anteriormente, ya se levantan apoyados en los muebles y se mantienen parados por períodos prolongados, practicando nuevas maniobras como sostenerse en una piernita, luego en la otra, agarrarse de una mano, colocar un pie delante del otro, y otras muchas variaciones que tienen como objetivo aprender a balancearse, para de esta manera vencer a la fuerza de gravedad que con frecuencia lo sienta en forma dolorosa. Aprovecho para sugerirles que coloquen una alfombra o unos cojines que amortigüen la caída del niño al soltarse de su mueble favorito.

Algunos bebés ya aprendieron a gatear, y lo hacen hacia adelante o hacia atrás; hay un buen número que, como dijimos, nunca lo hará, sin que esto signifique problema alguno.

Capacidad sensorio-motora

La habilidad para manipular los diferentes objetos crece inadvertidamente, y lo que parece un juego para los adultos es un continuo aprendizaje para el bebé. Ya no necesita dedicarle tanto tiempo al antes misterioso proceso de abrir y cerrar las manitos; ahora su dedo pulgar aprendió a reunirse con sus colegas y la "pinza" se perfecciona día a día.

Si señalas un objeto con el dedo, es probable que él también lo haga y al mismo tiempo dirija la mirada al sitio.

Otro avance importante lo constituye el que pueda aplaudir, e inclusive decir adiós con su manito, tratando de imitarte.

Uno de sus juegos favoritos al final de este mes será el de meter objetos pequeños dentro de otros, como por ejemplo tacos, cucharas, dentro de un tubo u otro recipiente. Con el tiempo, puede ser que encuentres muchos de sus juguetes preferidos en el basurero, la bañera, o en lugares similares.

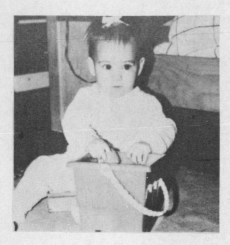 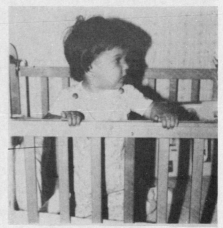

Sueño

Cuando hablamos sobre este tema en el tercer mes nos referimos a los ciclos del sueño, y posteriormente mencionamos la importancia de que el bebé, cuando se despertara en la noche, no asociara "llanto-me cargan y arrullan-me duermo", pues de esta forma te incluía en su proceso organizativo para volverse a dormir. En el cuarto mes me referí a ciertas señales que utilizaba el niño para decirte que estaba cansado y deseaba dormir, así como algunas de las situaciones en que el sueño podía alterarse, incluyendo en el quinto mes la ansiedad de separación.

En este mes (8°) se describen con frecuencia problemas con el sueño, y la solución no es fácil pues requiere de mucha fuerza de voluntad, y los padres no siempre logran obtenerla. La típica escena la describo a continuación: "llega la hora de dormir, el bebé ya comió, lo tranquilizaste, te encuentras al lado de su cuna arrullándolo a media luz. Apenas lo pones en su cunita se despierta, comienza a llorar, y te da a entender a gritos que lo saques de inmediato; si cedes en esta situación inicial y lo cargas, ya empezaste a perder la batalla, pues los bebés captan con facilidad cualquier inconsistencia por parte de sus padres, y aprenden a tomar el control de la situación; por lo tanto te sugiero *firmeza*. Asegúrate de prender una lucecita de noche, y que tenga con él su pañal, osito u objeto al que se haya apegado para dormir, de manera que disminuya su ansiedad; luego retírate del cuarto y espera de 15 a 20 minutos, y sólo después de esto regresa. *Sin sacarlo de la cuna*, arrúllalo o abrázalo (algunos se paran) y explícale *brevemente* que es hora de dormir, que papá y mamá también están durmiendo; no te quedes mucho tiempo en el cuarto, pues de esta forma refuerzas la conducta del niño. Retírate de nuevo y espera otros 15 a 20 minutos, que comprendo te parecerán eternos. Al cabo de algunos días te darás cuenta de que el niño llorará mucho menos, y que el tiempo de espera lo podrás acortar, pues por fin aprendió a dormirse solo.

Sé que lo que describo le ha sucedido a muchas familias, y por experiencia personal comprendo que no es fácil, pues a nadie le gusta oír a un bebé llorando; sin embargo, cuando esta técnica es constante y bien aplicada da buenos resultados.

Si el niño está enfermo, o crees que hay algo más que le afecte el sueño, posterga este procedimiento hasta que lo creas conveniente. Recuerda que *los niños necesitan tener un esquema*, una rutina, un control, y si notan que los padres son poco consistentes y claros en su manera de actuar, se sienten perdidos e inseguros. Con esto no quiero decir que debas convertirte en una persona rígida, pero sí que tomes muy en cuenta lo dicho a la hora de adoptar tu propia decisión.

Alimentación

A esta edad los patrones de alimentación varían considerablemente. Hay bebés que se rehusarán a que les den la comida, y sólo se comerán aquella que puedan agarrar con sus manitos; mientras que a otros les importará un poco menos que sus mamás les alternen cucharaditas, acompañadas de cuentos y gracias. Afortunadamente esto último es lo usual, pues el niño adquiere su autonomía para comer en forma gradual, y aun aquellos que la consiguen rápidamente tienen sus días en los cuales desean que sus padres les den el alimento. Por lo tanto, aprende a ser flexible y permítele al niño que avise cuándo y cuánto quiere que lo ayudes.

Otra actividad frecuente a esta edad es la de ofrecerte pedacitos de lo que tengan en su plato; con las manitos o la cuchara deja que te los ponga en la boca, pues para él es algo divertidísimo el poder darle la comida a su mamá, y esto es fácil de confirmar en el rostro del pequeño.

Muchos padres se preguntan si será malo, de vez en cuando, darle al nene comida de sus platos, y cuestionan el peligro de transmitirle alguna enfermedad a través de los cubiertos; lo cierto es que no hay nada de malo en darle alimentos de tu plato, como sopa, vegetales suaves hervidos, un poco de helado, etc.; simplemente ten cuidado de que lo ofrecido no sea demasiado duro, condimentado, o tan pequeño que pueda aspirarlo y lo ponga en peligro. En cuanto a la transmisión de los gérmenes de la boca, no te preocupes, pues es muy probable que el bebé tenga tantos como tú, y a menos de que uno de los dos esté obviamente enfermo, no hay inconvenientes.

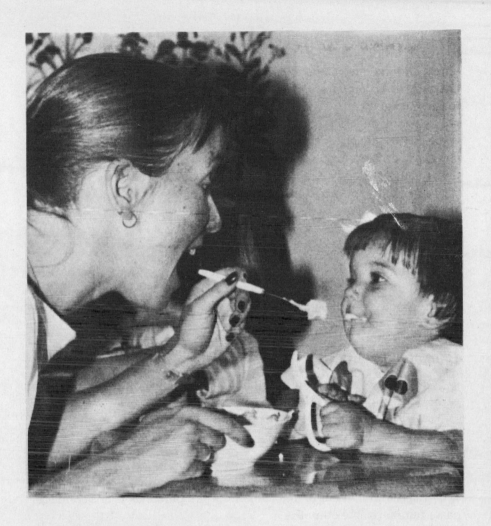

Temperamento

Este es un tema que considero muy importante, pues puede que te ayude a entender mejor a tu bebé.

Carey y Mc Devitt (1978), en su revisión sobre el temperamento infantil, nos lo definen como el estilo o *la manera en que el niño se comporta con la vida*. No existe buen o mal temperamento, más bien podríamos decir que algunas veces éste nos ayuda, mientras que en otras oportunidades nos dificulta lo que hacemos.

Tomemos como ejemplo la persistencia; si tu bebé es persistente a la hora de aprender a tomar de una taza o de agarrar el tenedor, consideramos que es bueno, pero si también es persistente mordiendo el cable de la lámpara o tirándole de la cola al gato, lo consideramos malo y peligroso.

A continuación aparecen nueve categorías de temperamento; en cada una de ellas se describen los extremos, como por ejemplo: mucha actividad motora versus poca actividad motora. Me parece que podría gustarte ubicar a tu bebé en alguna de las siguientes categorías, y si consideras que no se encuentra en los extremos colócalo en el medio (promedio).

Actividad motora

—Activo: casi siempre está moviéndose; presenta mucha actividad.

—Inactivo: le gusta permanecer jugando en un lugar; presenta poca actividad.

Ritmicidad

—Regular: regular en sus funciones biológicas, como comer, hora de dormir, defecar, etcétera.

—Irregular: irregular en sus funciones biológicas.

Acercamiento/retirada

—Acercamiento: acepta a personas o cosas nuevas.

—Retirada: rechaza inicialmente a las personas o cosas nuevas, hasta familiarizarse con ellas.

Adaptabilidad

—Rápido: se ajusta rápidamente a situaciones nuevas (cambios en la rutina).

—Lento: se ajusta lentamente a nuevas situaciones.

Intensidad

—Mucha intensidad: pone mucha emoción y energía en su vida y en sus reacciones.

—Poca intensidad: pone poca emoción y energía en su vida y reacciones.

Humor

—Negativo: tiende a tener conductas poco placenteras, reacciones negativas.

—Positivo: feliz, conducta amistosa.

Persistencia

—Poco persistente: no es muy persistente en sus acciones, se rinde rápidamente.

—Muy persistente: es muy persistente en sus acciones, odia rendirse.

Distracción

—Poca distracción: difícil de desviar la atención del punto de interés, se concentra bien.

—Mucha distracción: es fácil desviarlo del punto de interés.

Umbral de sensibilidad

—Umbral bajo: estímulos pequeños son capaces de producir reacción.

—Umbral alto: requiere estímulos grandes para producir una reacción.

Estos rasgos del temperamento pueden o no cambiar con el tiempo, y no tienen nada que ver con la inteligencia del bebé. En algunas oportunidades interfieren con la habilidad del niño para realizar ciertas actividades, pero esto no es motivo para tratar de cambiarlo, pues cada niño es diferente y son ellos los que alcanzarán su equilibrio particular.

Espero que esto te ayude a entender mejor a tu hijo, y al mismo tiempo te dé una idea del impacto que su temperamento produce en la familia.

Tabla de desarrollo
Octavo mes

Físico

—Puede gatear hacia adelante o hacia atrás.

—Se sienta solo y se mantiene en esta posición por más tiempo.

—Se para y puede utilizar sus manos libremente mientras su cuerpo esté apoyado a algo firme (mesita, silla, etcétera).

—Una vez que esté parado, necesita ayuda para sentarse.

—Da vueltas sobre su barriga, como una hélice.

—Cuando lo agarras de una manito puede mantenerse parado, y coloca un pie delante del otro como iniciando la marcha.

—Usa los muebles para agarrarse y levantarse sin ayuda.

—*peso*: varones: 7,1-10,5 kg; niñas: 6,5-10,3 kg.

—*talla*: varones: 66-73,9 cm; niñas: 63,7-72,3 cm.

Intelectual

—Comienza a demostrar memoria del tiempo.

—Recuerda algunas de sus propias acciones y eventos pasados.

—Tiene un modelo mental de las caras humanas y se interesa en las diferentes variaciones.

—Anticipa eventos, independientes de sus propias acciones.

—Vocaliza en dos sílabas.

—Puede decir papá o mamá en forma específica.

—Escucha las voces o palabras familiares en forma selectiva, y es capaz de reconocer algunas de ellas.

—Es consciente de la relación entre sus movimientos del cuerpo y los de los demás.

—Comienza a establecer un estilo de aprendizaje personal.

—Combina algunas conductas conocidas para originar actos nuevos.

—Resuelve problemas simples, como tirar de una cuerda para agarrar un objeto atado a ella o hacer sonar una campana a propósito.

Sensorio-motor

—Se observa las manos en varias posiciones, mientras agarra o deja caer los objetos.

—Examina las cosas como una realidad tridimensional.

—Agarra y manipula un objeto mientras observa otro.

—La oposición del pulgar hacia los otros dedos (pinza) continúa perfeccionándose.

—Apunta y sigue con la vista lo que otra persona haya señalado.

—Puede aplaudir y decir adiós con sus manitos.

Social

—Grita para llamar la atención.

—Mantiene su interés en el juego.

—Puede saber cómo usar a sus padres para que le consigan o le den algún objeto que desea.

—Usa entonación de adultos cuando balbucea.

—Imita el movimiento de la boca y las mandíbulas de las personas.

—Tiene miedo a los extraños.

—Rehúsa que lo inmovilicen (corral, cuna).

—Está claramente unido a sus padres, y le da miedo que lo separen de ellos.

—Toca, sonríe y trata de besar la imagen de un espejo.

—La rivalidad de los hermanitos (si los hay) puede ser un problema.

—Empuja y rechaza algo que no quiera.

Actividades sugeridas

—*En la cocina*: ofrécele al bebé su propio gabinete y llénaselo con ollas, cucharas, moldes u otros objetos que no sean peligrosos y que pueda meter o sacar cuando lo desee.

—*Leyendo*: existen numerosos libros que los bebés disfrutan a esta edad; siéntalo en tus piernas y permítele que pase las páginas; los más adecuados son aquellos con un solo dibujo en cada página (animales, juguetes, frutas). Nómbraselos a medida que hojean juntos el libro.

—*Jugando con el teléfono*: la idea de hablar por teléfono los atrae mucho; si alguien te llama, haz que lo saluden por la línea, verás cómo en poco tiempo será el niño quien lo haga.

—*Oyendo ruidos*: cuando salgas a pasear no te olvides de apuntar hacia arriba cuando oigas un avión, o a los árboles si se trata de un pájaro; autos, motos, ambulancias, producen sonidos que le permiten al bebé relacionarlos con palabras y determinadas situaciones.

—*Sombreros*: colócale al bebé un sombrero; al tratar de quitárselo, sin darse cuenta aprende más sobre las partes de su cuerpo.

—*Escondite*: muchos bebés a esta edad gatean o se arrastran con bastante rapidez; escóndete detrás del sofá o de una silla y llámalo para que te encuentre; ayúdalo asomando un poco la cabeza.

—*Escaleras*: si bien es verdad que pueden ser peligrosas, también representan una experiencia importante para los bebés; colócale un juguete que le guste en uno de los escalones y sugiérele que lo busque. Sitúate siempre por detrás en forma tal que lo puedas agarrar si se resbala. Con el tiempo, el subir les será lo más fácil, mientras que el bajarlas continuará siendo bastante complicado.

—*Dominós*: construye una torre de dominós y permítele al bebé que la tumbe; poco a poco se dará cuenta de los efectos que puede producirle a su ambiente.

—*Tapas y potes*: una olla de cocinar representa para los bebés de esta edad su primer "rompecabezas"; enséñale cómo colocar la tapa en su lugar, verás la cara de satisfacción que pone cuando lo consigue por sí mismo.

—*Transparente versus opaco*: escóndele algún objeto dentro de

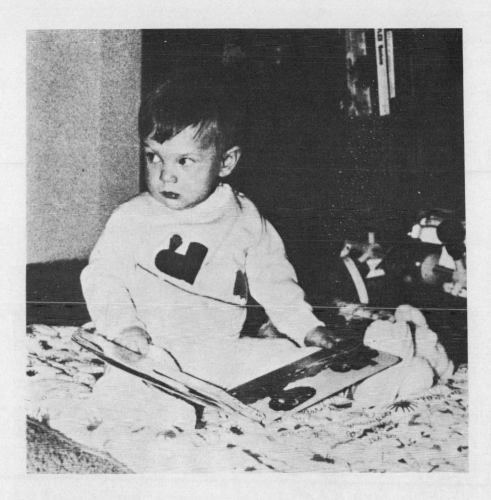

un envase transparente; verás cómo trata de agarrarlo a través de las paredes. Con el tiempo aprenderá a voltearlo o a introducir la manito directamente; haz lo mismo con envases opacos.

—*Resolviendo problemas*: a esta edad muchos bebés son capaces de valerse de otros objetos para agarrar algo que les interesa. Ofrécele objetos que pueda arrastrar con una cuerda, o coloca objetos sobre una sabanita para que los aproxime tirando de uno de los extremos.

—*Despidiéndote*: cada vez que te alejes de él mueve tu mano en señal de adiós; de la misma forma, si hace algo divertido apláudelo; en poco tiempo los bebés aprenden a aplaudir y a decir adiós.

Recuerda que todos los bebés son únicos y diferentes, por lo tanto si tu bebé no realiza algunas de las actividades señaladas es probable que lo haga más adelante.

8 meses

N° comidas/día	p.s.m.l.	vacunas	datos
3-4	12 horas	. . . . .	es capaz de encontrar un objeto si se lo escondes mientras te observa al hacerlo (mejora su memoria)

p.m.s.l.: período de sueño más largo.

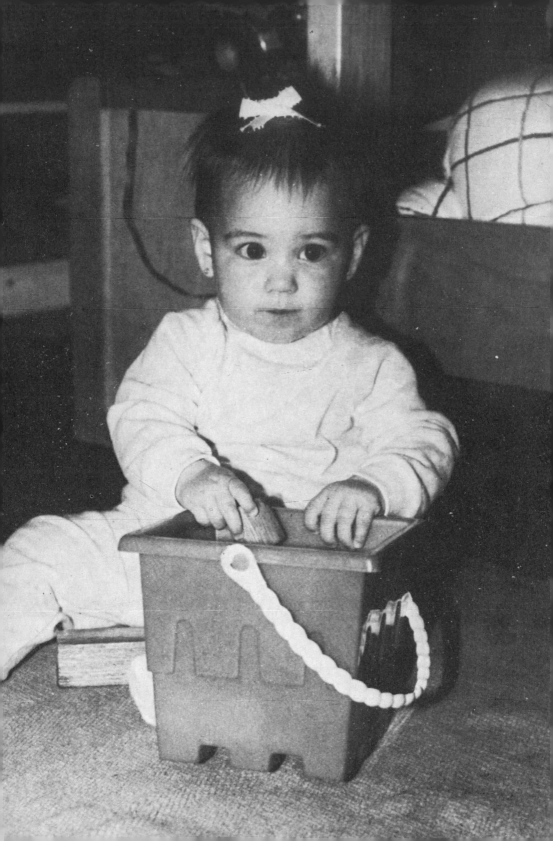

9 nueve meses

9 nueve meses

Muchos especialistas, al referirse a este mes en particular, consideran que no hay tantos cambios o avances como en los meses anteriores. A mi juicio el desarrollo continúa, pero en algunos casos no es tan evidente, pues consiste en la perfección de habilidades ya adquiridas, o en el esbozo de nuevas capacidades a punto de aparecer. Si tu bebé ya se encuentra gateando, o dando pasitos agarrado a los muebles, es probable que notes cómo mejora la destreza y el balance con que lo hace, y esto debes considerarlo también como un logro muy importante en su desarrollo.

Otra cosa que muchas veces no recordamos es que el cerebro del niño, comparable a un archivo gigante, se encuentra constantemente almacenando la información que obtiene a través de los sentidos, modificándola y adaptándola hasta convertirla en algo útil a sus fines. Asimismo, gradualmente, aumenta el número de conexiones nerviosas que asociarán todos estos datos mencionados, y una vez coordinados se convertirán en movimientos más precisos, lenguaje, capacidad social y, con el tiempo, razonamiento lógico.

La curiosidad del bebé continúa siendo una fuerza inmensa que lo impulsa a tocar e investigarlo todo, con el deseo de aprender más sobre su ambiente. Aquellos padres excesivamente ordenados puede ser que encuentren difícil ceder en la batalla por el orden; les sugiero que lo hagan, pues un bebé activo e independiente necesita, dentro de ciertos límites, estudiarlo todo, y a menudo ello implica cambiar las cosas de su sitio original.

Al final del noveno mes, el peso y la talla promedio serán respectivamente de *9,100 kg* y *71 cm*. *El número de comidas diarias* es de 3, y *la cantidad de leche* por toma es de 240 ml, según los requerimientos del bebé.

Actividad motora

El bebé se moviliza cada día con más facilidad, y el sistema más usado es el de arrastrarse por toda la casa, ayudado con movimientos de flexión y extensión de sus brazos y piernas. Algunos ya se encuentran gateando, y este mes significa el perfeccionamiento de esta reciente adquisición. Muchos de ellos se paran agarrados de las sillas, la mesa o el sofá, y comienzan a dar pasitos realizando verdaderos cruceros por el cuarto, y si el arreglo de éste lo permite, el niño aprenderá a pasarse de un mueble a otro con rapidez.

En la rutina diaria de un bebé de 9 meses pueden verse sesiones de equilibrio en donde el niño se queda parado sin apoyo alguno por varios segundos. Siempre me ha impresionado el valor y la persistencia que tienen algunos bebés de esta edad, pues por un lado se caen y por el otro se levantan de nuevo como si olvidaran con rapidez el dolor que producen algunas de estas experiencias.

A partir de ahora, la vigilancia debe ser continua en lo posible, pues el crecimiento de su intelecto, asociado a su destreza motora, lo llevarán a los más intrincados rincones, abriendo gavetas, escalando cojines, subiendo arrastrado la escalera, montándose en el sofá para luego pasarse a la mesa vecina; en fin, un bebé activo puede convertirse en un trabajo difícil para cualquier madre; por lo tanto, te sugiero que pienses en alguien responsable y familiarizado con tu bebé para que te releve en algunos momentos durante el día, pues por vivencia personal sé lo mucho que cansa evitar los peligros de algunas de estas experiencias del desarrollo.

Muchas mamás encuentran muy útiles *las andaderas*, pues consideran que de esta forma ejercitan la marcha del niño. A mi juicio son buenas, pero sólo por un rato durante el día, ya que limitan otras actividades como gatear, rodar, levantarse, equilibrarse, y en algunas circunstancias disminuyen el incentivo para caminar. Por otra parte, reconozco que estas andaderas y el corral muchas veces representan el único minuto de descanso que tienen algunas madres.

Capacidad sensorio-motora

Es un avance importante a esta edad que puedan imitar a alguien aplaudiendo o golpeando dos objetos en el centro del cuerpo con más habilidad. Si juegas con el bebé dándole por ejemplo un taco o un juguete pequeño, luego otro, y después un tercero, verás cómo se queda pensativo y se ve las manitos como tratando de idear en dónde almacenarlos todos; muchos bebés dejan caer uno de los objetos para agarrar el nuevo que le ofreces, lo cual representa una forma inicial

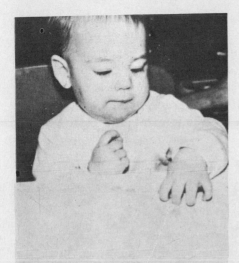

Practicando la "pinza"

de resolver su problema. En el futuro verás cómo se las ingenia para agarrarlos todos a la vez.

Al final de este mes la pinza que forman su dedo pulgar y el índice es casi perfecta, y puedes verlo usándola con mayor precisión en el momento de las comidas, pues disfruta agarrando los pedacitos más pequeños para luego llevárselos a la boca, mientras te ve como diciendo "lo hice yo solo". Otra cosa que les gusta a esta edad es sostener ellos mismos su biberón; por otra lado, algunos ya aprendieron a tomar de sus tacitas y pueden agarrarlas por el asa, con algo de ayuda, sin mayores complicaciones.

La coordinación de la visión y de sus movimientos finos, como son los de los dedos de las manos, lo incitan a explorar cuanta rendija o agujero descubra. Con frecuencia lo vemos apuntando o doblando el dedo índice en forma de gancho para atrapar pelusas, migas de pan o cualquier basurita que encuentren detrás de los muebles o debajo de las puertas. Una madre me cuenta cómo su hijo de esta edad volvía loco al perro de la casa metiéndole el dedo en la nariz.

Aprendizaje

Mucho de lo que aprenden los bebés es producto de la imitación de sus hermanitos mayores, y si bien es verdad que el primero tiene menos ocasión de utilizar este sistema, aprende más acerca del procedimiento para realizar las cosas. Esto tiene una implicación práctica inmediata; te sugiero que cuando juegues con el bebé le des la oportunidad de que sea él quien *descubra el mecanismo del juego*, y si no lo consigue, ayúdalo a acercarse a la solución tratando en lo posible

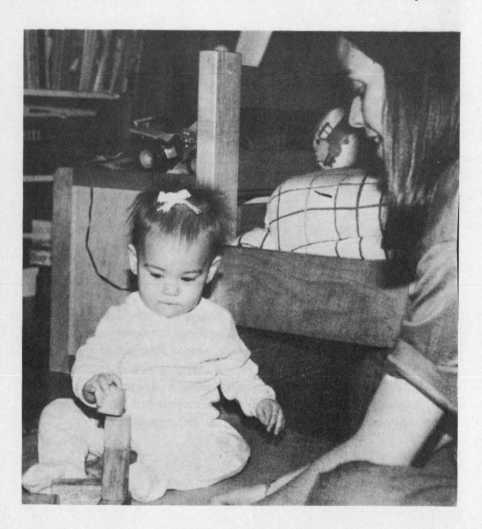

de no realizar el acto por completo. Tomemos por ejemplo una actividad muy apreciada a esta edad, como lo es la de llenar o vaciar un tubo o una caja con tacos u otros objetos; si deseas que realmente sea efectivo el aprendizaje, agarra el taco, llévalo al borde de la caja y luego se lo das al bebé, éste probablemente te imitará y es factible que lo deje caer adentro para luego tratar de sacarlo. Esto lo puedes generalizar con otras situaciones similares, siempre que lo creas acertado.

Otro detalle interesante surge a la hora de *premiarlo*; es muy importante que recompenses los pequeños logros del niño aplaudiéndolo y alegrándote, pues sin lugar a dudas esto constituye un poderoso combustible para su desarrollo; pero ello no significa que todo lo que haga tenga que venir seguido de recompensas abrumadoras, pues con el tiempo pierden el significado, y a mi juicio es importante que el bebé sienta placer y satisfacción en el logro de la tarea en sí, y no exclusivamente en la recompensa.

Basta con observar el brillo de los ojos y la alegría que reflejan cuando consiguen por ellos mismos lo que se proponen, para darnos cuenta de que existe una fuerza interna diferente, muy poderosa, que también los recompensa y los impulsa a crecer y a desarrollarse.

Aprende a balancear esto que he mencionado, y entendiendo las reacciones de tu bebé actúa como lo creas conveniente.

Capacidad intelectual

La memoria del bebé, así como otras capacidades mentales, mejoran notablemente. Aumenta el concepto de lo que es la desaparición de las cosas, y ahora comprende realmente que los objetos y las personas tienen una existencia por separado, y que *no desaparecen como por arte de magia* cuando no están a su vista. Este concepto se ha ido clarificando a través de juegos, como cuando coloca objetos dentro de una olla, la tapa y después la destapa para sacarlos. De forma similar, siempre que le escondes un juguete enfrente de él para que lo descubra, le ayudas a afianzar su conocimiento; sin embargo, todavía no tiene la destreza suficiente para encontrarlo si lo colocas en un segundo lugar.

Haz la prueba con dos pañuelos, y permitiéndole que te vea, cubre un juguete pequeño que le guste con el primero de ellos, moviéndolo luego hacia el segundo pañuelo (siempre a la vista del bebé); verás cómo trata de buscarlo debajo del primero de los pañuelos, pues todavía no consigue fijar en su mente el desplazamiento: es a partir del año cuando emerge esta nueva capacidad, y sólo entonces buscará directamente en el segundo lugar.

Los bebés de esta edad recuerdan bien algunos de los juegos del día anterior, y con frecuencia tratan de iniciarlos de nuevo con sus hermanitos o sus padres. Otro detalle interesante es que se aburren si les repites las mismas actividades, y te lo dan a entender claramente desviando la atención hacia otros juegos.

El hecho de que vaya a un sitio a llevar objetos y regrese en forma repetida para buscar más nos dice que ahora es capaz de mantener una serie de ideas en su mente.

Muchos ya tienen conciencia del espacio vertical y comienzan a tenerle miedo a las alturas; como resultado, las hazañas de montarse en el sofá y lanzarse al espacio para que sus padres los agarren en los brazos puede ser que no los divierta como antes y más bien les produzca mucha ansiedad. Es interesante ver cómo muchos de estos bebés intentan sobreponerse al miedo y practican cayéndose de rodillas una y otra vez.

El significado de algunas palabras como *caliente* o *frío* puede comenzar a ser enseñado acercando tu mano a la tapa del horno o al refrigerador, y a medida que te aproximes le repites la palabra acompañada de expresiones faciales; verás cómo el niño, basado en tu tono de voz y en su propia experiencia con la temperatura del agua o de la comida, captará rápidamente la definición.

Ya debes de haber notado cómo sigue algunas órdenes sencillas como "no toques eso", "dile adiós con la manito", "dame eso", etc. Muchos de ellos pueden decir "papá" o "mamá" como nombres específicos, y esto lo consideramos como un avance en su lenguaje expresivo, pero quizás no nos damos cuenta de que su lenguaje receptivo (capacidad para comprender nuevas palabras) se encuentra bastante avanzado. El doctor Burton L. White, conocido psicólogo de la Universidad de Harvard, nos cita algunas de las palabras que con frecuencia entiende un niño entre los 9 y los 12 meses, y entre ellas tenemos: mamá, papá, nombre de algún familiar cercano, adiós, bebé, zapato, pelota, galleta, jugo, no, etc. Esto por supuesto varía considerablemente de bebé a bebé.

Tabla de desarrollo
Noveno mes

Físico

—Aprende a sentarse solo desde la posición de pie.
—Gatea llevando algo en sus manos.
—Se sienta bien en una silla.
—Puede subir las escaleras arrastrándose o gateando.
—Se sienta sin ayuda, y llega a esta posición sin mayores esfuerzos.

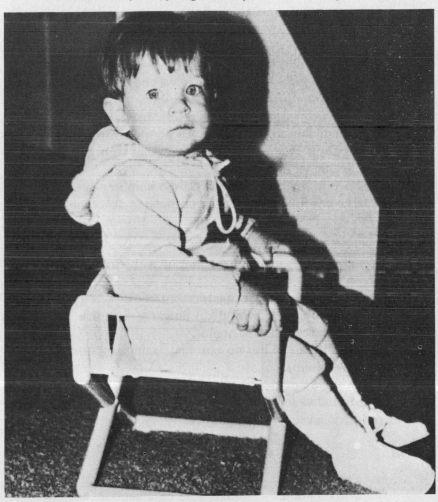

—Puede darse la vuelta mientras gatea.

—Puede empezar a dar pasos agarrado de los muebles o de la mano de sus padres.

—Puede quedarse parado momentáneamente sin apoyarse en nada.

—*peso*: varones: 7,5 - 11 kg; niñas: 6,8 - 11 kg.

—*talla*: varones: 67,5 - 75,9 cm; niñas: 65,2 - 74,1 cm.

Intelectual

—Demuestra pensamiento simbólico; mueve la cabeza para decir "no".

—Reconoce mejor la dimensión de los objetos.

—Se aburre cuando le repiten el mismo estímulo.

—Descubre un juguete cuando se lo esconden en su presencia.

—Puede recordar juegos del día anterior.

—Puede seguir algunas instrucciones simples.

—Puede mantener una serie de ideas en su mente.

—Anticipa una recompensa cuando realiza algo exitoso o cumple una instrucción en forma eficaz.

—Puede decir "mamá" o "papá" como nombres específicos.

—Le tiene miedo a las alturas; es consciente del espacio vertical.

Sensorio-motor

—Aplaude con las manitos o golpea dos objetos en el centro del cuerpo.

—Deja caer un objeto para agarrar un tercero.

—Agarra un objeto con el dedo pulgar y el índice; los objetos grandes los sostiene con las dos manos.

—Se alimenta por él mismo con más facilidad (pedacitos de comida, galletas, etcétera).

—Agarra una tacita por su asa.

—El dedo índice lo utiliza para agarrar en forma de gancho, apuntar e introducirlo en agujeros y rendijas.

Social

—Imita toses y hace "clics" con la lengua.

—Comienza a evaluar el humor y las conductas de la gente.

—Siempre busca aprobación.

—Inicia el juego; le encantan las escondidas.

—Escoge deliberadamente un juguete en particular.

—Puede aprender a defenderse él y sus posesiones; puede pelear por un juguete.

—Pueden presentarse nuevos miedos (aspiradora, batidora, etcétera).

—Repite un acto si lo aplauden.

—Enfatiza sus emociones vocalizando.

Actividades sugeridas

—*Campanas*: ofrécele al bebé una campana y muéstrale cómo funciona.

—*Diferentes posiciones*: coloca objetos que el niño conozca en posiciones invertidas o diferentes a la usual; por ejemplo, un osito de cabeza; trata de que el bebé descifre lo que sucede. Con el tiempo verás cómo los retorna a su posición original.

—*Pelotas*: ruédale una pelota y trata de que te la devuelva; incluye a otros miembros de la familia en el juego.

—*Aplaudiendo*: juegos que incluyan aplausos siempre interesarán al bebé; escóndele las manitos debajo de una sábana, y haz que aplauda debajo de ella y luego fuera de la misma.

—*Anillos*: consíguele aros de diferentes tamaños y enséñale a calzarlos en un objeto vertical.

—*Caja transparente*: ofrécele diversos objetos y permítele que los coloque dentro de una caja transparente, de manera que él pueda verlos cuando caen. Para hacerlo más interesante, llénala con agua suficiente como para que algunos de los objetos puedan flotar.

—*Nombrando objetos*: coloca varios juguetes en una caja, enséñale el nombre de los mismos, y luego pídele que te dé uno de ellos; muy pronto verás cómo sabe cuál es el que deseas.

—*Hora de comer*: mientras lo estés alimentando, permítele que te dé algo de comida con su cucharita o que se la ofrezca a alguno de sus juguetes.

—*Leyendo*: a esta edad es muy importante que reserves tiempo para leerle a tu bebé; a medida que pasan las páginas, nómbrale los dibujos: zapato, pelota, barco, etcétera.

213

—*Hora del baño*: ofrécele al bebé su propia toalla y enséñale que te ayude a enjabonarse o a secarse; por supuesto que esto no lo logrará todavía, pero con el tiempo verás cómo lo hace.

Recuerda que todos los bebés son únicos y diferentes, por lo tanto si tu bebé no realiza algunas de las actividades señaladas es probable que lo haga más adelante.

9 meses

N° comidas/día	p.s.m.l.	vacunas	datos
3	12 horas	sarampión (depende del país)	la pinza que forman su dedo pulgar y el índice es casi perfecta.

p.s.m.l.: período de sueño más largo.

10 diez meses

10 diez meses

Durante este mes, prácticamente podrás ver cómo crece y se expande la inteligencia de tu bebé.

Ahora diferencia claramente lo pequeño de lo grande y lo lejos de lo cercano. El sabe dónde están los juguetes aunque no los pueda ver, y es capaz de alcanzarlos cuando están detrás de él sin mayores problemas. Puede participar de los eventos mucho mejor, y el mero hecho de presenciar movimientos en la cocina combinados con el sonido de ollas y platos le dicen claramente que es su hora de comer. El niño reconoce que su papá o su mamá van a salir al verlos agarrando las llaves de la casa o del coche.

Las vocalizaciones aumentan preparando su futuro lenguaje; sin embargo, como ya mencionamos en capítulos anteriores, algunos bebés se concentrarán más en actividades motoras mientras que otros se dedicarán más tiempo al lenguaje, lo cual puede hacerlos ver un poco lentos en determinada área. Los niños normales, al llegarles su hora, terminarán hablando y caminando sin ningún tipo de problema. No hace falta forzarlos sino observarlos, entenderlos, y ayudarlos cuando lo creas conveniente, en el momento en que estén listos para su próximo nivel de desarrollo.

Un bebé de esta edad puede ser capaz de decir "hola" y "adiós", así como de imitar el sonido de uno o dos animales. Su habilidad para comprender y responder con gestos continúa en ascenso; y si le pre-

guntas en dónde están algunas de las partes de su cuerpo o algunos de los objetos familiares verás cómo los apunta y se ríe complacido.

De todas maneras no cuentes mucho con demostraciones en público, pues por lo general no hacen ni la mitad de lo que harían con sus padres en su propio ambiente.

La música puede desencadenar todo un repertorio de respuestas; algunos dan pasitos hacia adelante y hacia atrás, o flexionan las piernitas moviendo la cabeza al compás de la canción.

Su capacidad de observación crece día a día, y con frecuencia los vemos interesados en los coches en movimiento, en gente trabajando, y en todo tipo de animales. Le encanta verte haciendo cosas en la casa, limpiando, escribiendo, cocinando, etc.; pronto llegará el día en que te ayude a su manera, y entonces te reirás mucho al verlo recogiendo la basura con su palita de juguete, o barriendo con su miniescoba; todo esto nos dice el papel tan importante que juega la imitación en el niño.

A esta edad muchos de ellos empiezan a decir "no", acompañado de movimientos de la cabeza. Esto no significa necesariamente que el bebé sea un niño difícil, pues algunos no entienden todavía el significado de esta palabra; además, el movimiento de la cabeza que acompaña a la negación es más fácil que el que se hace al afirmar. Así pues, lo verás a menudo practicando su "no", que en un futuro muy cercano constituirá uno de sus recursos más preciados en la importante lucha por su autonomía y reafirmación.

Al final de este mes el peso y la talla promedio serán respectivamente de *9,500 kg* y *72 cm. El número de comidas diarias* es de 3, y *la cantidad de leche* por toma es de 240 ml; como siempre esto dependerá mucho de los requerimientos del niño.

Actividad motora

A esta edad son muchos los bebés que gatean perfectamente desplazándose de un sitio a otro, subiendo la escalera o montándose en las sillas con más facilidad. Ahora se sienta a partir de la posición de pie sin ayuda, y se levanta por él mismo apoyado en las palmas de sus manos, estirando las piernas y los brazos. Continúa dando pasitos agarrado de los muebles o de las manos de su mamá; una minoría de ellos

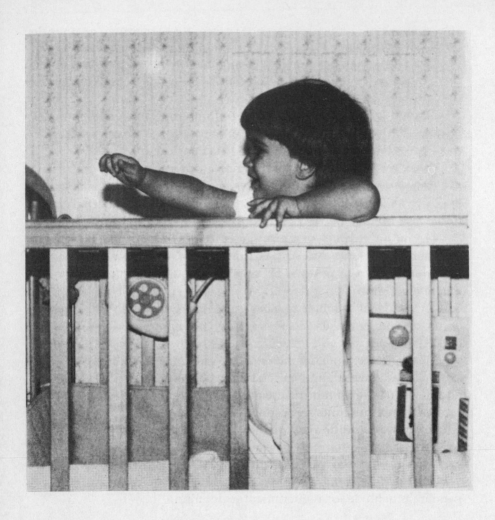

son capaces de soltarse y caminar por primera vez; sin embargo, esto no es lo más frecuente.

Todo este despliegue motor lo aleja físicamente de sus padres, y aunque no sea muy evidente, el costo de este aprendizaje es bastante alto, pues para tu bebé el tener que escoger entre la seguridad y afecto que le brindan sus padres o el alejarse de ellos *es bastante conflictivo*.

Esta fase motora en donde están a punto de caminar, o ya lo hacen, sugiere lo importante de no sumarle más ansiedad al niño con separaciones innecesarias, cambios de su ambiente, o niñeras nuevas.

En estos momentos *el niño necesita saber que su base afectiva está ahí*, y que puede retornar a ella cuando lo crea necesario.

Como dato interesante, no existen estudios que demuestren una correlación directa entre las capacidades motoras y la capacidad intelectual; esto lo menciono porque con frecuencia se oyen expresiones como: "qué inteligente, mira lo pronto que aprendió a caminar".

En las mañanas verás cómo te saluda dándole golpes a la cuna y caminando dentro de ella como explorando sus dominios. El brillo en los ojos y la alegría que se refleja en la cara de estos bebés nos dicen lo orgullosos que se sienten de su posición vertical.

Los padres se preguntan a menudo si los corrales son buenos para un bebé de 10 meses; la respuesta es que son útiles si el niño está practicando cómo sentarse y levantarse, pues es un lugar seguro para que lo haga; por otro lado, a esta edad los niños se encuentran aprendiendo activamente acerca de los espacios y diferentes objetos que lo rodean, y el confinarlos a un corral es sin lugar a dudas limitar su mundo. Sin embargo, si consideras que en ciertas ocasiones no lo puedes seguir o no tienes a alguien que lo vigile, o hay hermanitos con ideas demasiado creativas que puedan poner en peligro la seguridad del bebé, creo que el corral es una solución satisfactoria.

Capacidades sensorio-motoras

En esta edad comienzan a entender lo que significa *constancia del tamaño*; en otras palabras, un adulto sabe que las cosas se ven más pequeñas a medida que se alejan, pero no por ello disminuyen de tamaño físico. Algunos psicólogos estiman que esta habilidad la adquieren los bebés a través de una práctica continua con diferentes objetos y espacios.

La evolución de la "pinza" se hace evidente; ahora atrapa cosas pequeñas como pedacitos de papel, comida, pasitas, entre su dedo índice y el pulgar con gran precisión.

Otro detalle interesante es que empieza a demostrar preferencia por una de sus manos y por un lado de su cuerpo; esto se evidencia pues utilizan una mano para almacenar el objeto mientras que con la otra lo estudian y detallan; todo ello requiere de una mejor coordinación muscular del hombro, brazo, muñeca y dedos de las manos.

Otra capacidad que emerge a esta edad es la de romper papeles; esto, aunque te parezca sencillo, representa un avance importante. Si bien a los 9 meses el bebé se interesaba en vaciar los recipientes (tubos, cajas, frascos), a esta edad surge el deseo de llenarlos, y a menudo los vemos llenando y vaciando las gavetas, el basurero o las jardineras; te sugiero que le ofrezcas un lugar seguro para que practique, pues los sitios y objetos mencionados pueden ser muy peligrosos.

Un logro interesante es que ahora es capaz de dejar caer las cosas de su mano en forma deliberada y no accidental; por lo tanto, su mesita de comer puede convertirse en una base de lanzamiento de donde salen disparados los cubiertos y la comida en forma incesante, mientras que su mamá los devuelve con paciencia; te recomiendo que en estos momentos le des un juguete, las llaves u otro objeto, de manera que se distraiga arrojándolo en vez de hacerlo con la comida.

Otra de sus inquietudes, en esta edad, es la de ajustar o calzar un objeto dentro de otro; cuando no lo consigue es posible que te convenza para que tú lo hagas.

La audición y la visión continúan perfeccionándose, y si haces cualquier ruido detrás del bebé éste se voltea inmediatamente y busca en la dirección correcta; asimismo, reconoce la voz de los integrantes de la familia sin necesidad de verlos. Otro detalle referente a este te-

Rompiendo papeles

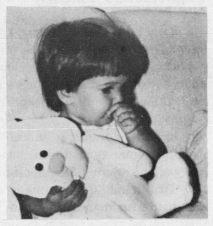

Objeto transicional

222

ma es que identifica claramente las tonalidades que usan sus padres para regañarlo, premiarlo o jugar con él.

Capacidad social

La provocación parece ser una de las actividades favoritas a esta edad; el niño tratará de llamarte la atención de muchas formas, y entre ellas estará la de tocar algo prohibido, tirar del cable de una lámpara, o pararse enfrente de la televisión; todo esto lo realiza con el fin de medir tus reacciones y aprender los límites de su conducta. Si te portas en forma poco constante, reaccionas en forma exagerada, o simplemente no le haces caso, el bebé lo captará inmediatamente y poco a poco se hará una imagen mental de lo que puede o no puede hacer. En momentos como éste la definición de los límites es fundamental, como ya lo mencionamos en capítulos anteriores.

El miedo a los lugares extraños puede acentuarse, pues si bien el niño es capaz de predecir lo que le sucede en su propio ambiente (hogar), no tiene ninguna referencia de lo que pueda sucederle en otros sitios, y es probable que notes cómo se queda *apegado a ti*. Esto no quiere decir que no lo puedas llevar o dejar en otros lugares, pero implica que le des la oportunidad para que se familiarice bien con la nueva situación, y si es posible lo dejes con alguien que él ya conozca.

A estas alturas comienzan a demostrarle un cariño especial a determinados juguetes u objetos suaves que se relacionen con el momento de dormir; esto lo puedes interpretar como un cumplido, pues usualmente aquellos niños que han recibido afecto y seguridad *son capaces de darle amor* a algo como un osito de peluche (véase "objeto transicional").

Este objeto mencionado es de gran importancia en los momentos de ansiedad, y representa un "bastoncito" que los ayuda a recuperar la seguridad perdida, y que de alguna manera representa a sus papás. Hay madres que guardan este objeto transicional durante el día y sólo se lo dan cuando lo juzgan necesario, como por ejemplo a la hora de dormir, en situaciones nuevas que puedan crearle tensión al bebé, etc. Esto parece funcionar bastante bien, pues no obliga al niño a depender las 24 horas de su osito o del chupete, y le permite utilizar a las personas cercanas como fuentes de seguridad, afecto y estímulo.

Otro detalle interesante a esta edad es que son más sensibles a la relación con otros niños; es frecuente verlos llorando si le prestas atención a otro bebé y no a él. Por otro lado, los bebés se transforman en participantes más activos en el juego social, e inician diversiones como esconderse para que los busques, o gatean y se alejan para que los sigan, etc. El doctor T. Berry Brazelton describe que a esta edad perciben rápidamente la situación social, y si por ejemplo una madre se ríe cuando ve a su hijo cayéndose de cara al gatear por el cuarto, el bebé se da cuenta de esto y comienza a repetir lo sucedido una y otra vez, hasta que los dos terminan riéndose juntos.

Tabla de desarrollo
Décimo mes

Físico

—Gatea con las piernas bien estiradas.
—Se mantiene parado con poco soporte.
—Camina agarrado de la mano.
—Puede levantarse por él mismo estirando los brazos y las piernas, apoyado en la palma de las manos.
—Se sube y se baja de las silllas.
—Se sienta a partir de la posición de pie.
—Ayuda un poco al vestirlo.
—*peso*: varones: 7,8 - 11,5 kg; niñas: 7,1 - 11,3 kg.
—*talla*: varones: 68,8 - 77,4 cm; niñas: 66,5 - 75,6 cm.

Intelectual

—Trata de agarrar un objeto que sabe que está detrás de él, sin necesidad de verlo.
—Busca un objeto que fue escondido en su presencia.
—Busca un objeto en el mismo lugar, aun cuando ha visto que lo han cambiado a otros sitios.
—Si se lo piden, apunta a varias partes de su cuerpo.
—Aumenta gradualmente su capacidad de imitación.
—Comprende y obedece algunas palabras y órdenes.
—Puede repetir una misma palabra en forma incesante, como respuesta a todo lo que le pregunten.

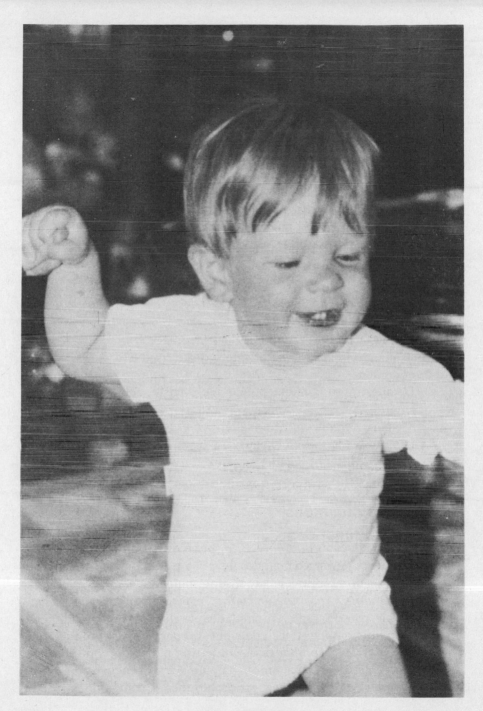

La alegría de caminar

Sensorio-motor

—Puede diferenciar el uso de ambas manos, agarrando objetos con una y manipulándolos con la otra.

—Ve objetos individuales, como separados de los otros.

—Continúa aprendiendo acerca de las cosas: arruga y rompe los papeles, agita cajas, escucha el tictac del reloj.

—Carga en una mano dos objetos pequeños.

—Abre las gavetas para explorar su contenido.

—Se interesa en ajustar y calzar objetos, unos dentro de los otros.

—Comienza a demostrar clara preferencia por un lado del cuerpo más que por el otro (dominancia).

—Responde a la música moviendo el cuerpo y la cabeza de un lado a otro.

Social

—Busca compañía y atención.

—Imita gestos faciales, expresiones y sonidos.

—Es más consciente de sí mismo y de las conductas que se aprueban o reprenden.

—Demuestra su humor; puede lucir triste, feliz, incómodo o bravo.

—Tiene preferencia por un juguete en especial.

—Disfruta de juegos en el agua.

—Siente miedo por lugares extraños.

Actividades sugeridas

—*Visitas a lugares diferentes*: un bebé de 10 meses necesita variar de ambiente de vez en cuando; llévalo a pasear en el coche, a visitar a amiguitos de su misma edad, al supermercado, etcétera.

—*Hablándole a través de un tubo*: utiliza un tubo largo de cartón y háblale con diferentes tonalidades; te quedarás sorprendida de lo divertido que se pone. Luego dale el tubo para ver si te imita.

—*Juego de las escondidas*: esconde una radio o una de sus cajitas de música debajo de una almohada para ver si la encuentra.

—*Bloques de cartón*: haz varios bloques o cajitas de cartón y píntalas de diferentes colores, colocándole un cascabel o algo que suene dentro de una de ellas, para ver si asocia el color con el sonido.

—*Caja con agujeros*: a los bebés de esta edad les encanta meter los dedos en lugares pequeños; agarra una caja de cartón y ábrele varios agujeros, colocándole diferentes texturas dentro de ellos; saca tu dedo por una de las aberturas y deja que trate de agarrártelo.

—*Carritos, camiones*: enseña al bebé cómo se empujan estos juguetes por el suelo; colócalos en una bajadita.

—*Tambor*: dale una caja de cereal vacía y una cuchara de madera de cocinar; enséñale cómo golpear la caja y hacer ruido de tambor.

—*Golpes en la mesa*: invita a otro bebé de su edad y siéntalos juntos en la mesa, permitiéndoles que la golpeen con las palmas de las manos.

—*Revistas rotas*: como mencionamos, muchos bebés de esta edad pueden estar capacitados para rasgar papeles; dale una revista vieja y déjalo que la rompa en pedazos (cuidado que no se trague el papel).

—*Juego del teléfono*: una de las cosas que más los atrae es el ruido del teléfono, así como lo misterioso de ver a las personas concentradas hablando por el mismo; usa un teléfono de juguete o desconecta el de la casa para que te imite cuando lo desee.

—*Siguiendo al líder*: en esta edad la imitación cobra gran interés; utiliza gestos simples o juegos con tus manos, como aplaudir o abrirlas y cerrarlas, o levantar y bajar los brazos, de manera que te imite.

—*Uno dentro del otro*: el bebé aprende el tamaño de las cosas a medida que explora diferentes objetos; enséñale cómo calzan las tazas de medir (de la cocina) una dentro de otra.

Escondiendo la fotografía: esconde la foto de papá o mamá, y luego con el bebé trata de encontrarla en diversos lugares; en el momento que lo hagas exclama " ¡aquí está papá!", esto les gusta muchísimo; con el tiempo, varía las fotografías (hermanitos, animales, etcétera).

Recuerda que todos los bebés son únicos y diferentes, por lo tanto si tu bebé no realiza algunas de las actividades señaladas es probable que lo haga más adelante.

10 meses

N° comidas/día	p.s.m.l.	vacunas	datos
3	12 horas	. . . . . .	aprende a señalar con el dedo algunas partes de su cuerpo; puede tener trastornos del sueño.

p.s.m.l.: período de sueño más largo.

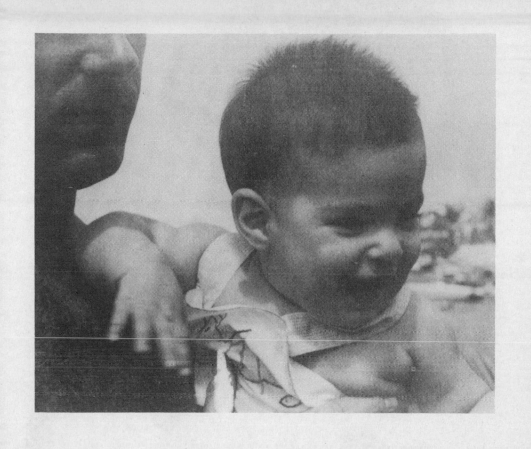

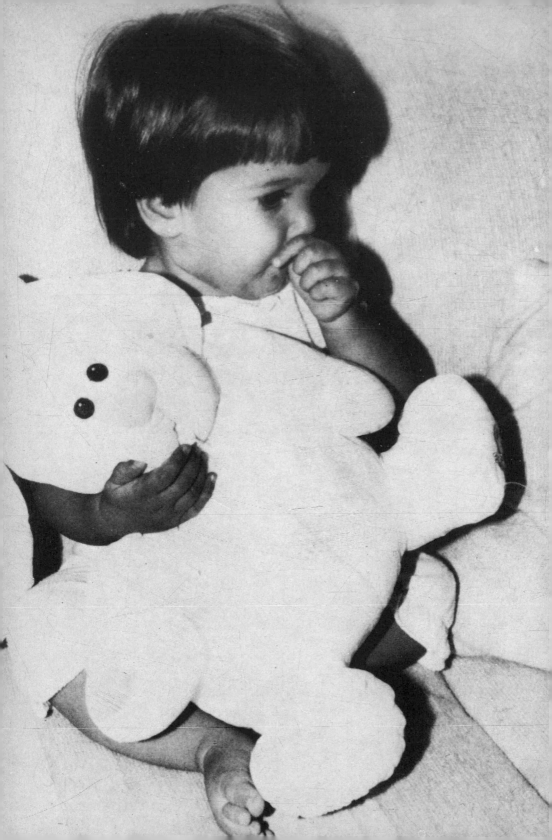

11 once meses

11 once meses

Si bien algunos bebés de esta edad continúan moviéndose de un sitio a otro apoyados en sus manitos y rodillas, una cantidad menor de ellos caminan sin ayuda; y la gran mayoría ya dan pasitos, agarrados de la mano, y pueden pasear con sus padres distancias cortas.

La posición de pie es la favorita, y ahora lo verás parado en su silla de comer, en la bañera, en su coche; y si lo sientas para ponerle los zapatos o lo acuestas para cambiarle el pañal, se incorpora inmediatamente, pues para él esta adquisición es importantísima y te lo demostrará cada vez que pueda.

La capacidad para ver, oír y sentir las cosas del ambiente que lo rodea se encuentra muy aumentada. Una salida al automercado se convierte en una tremenda experiencia, en donde el sonido de la bolsa de macarrones, las latas y frascos, lo distraen y enseñan continuamente. No te extrañes si frente a algún estante hace alboroto, pues es probable que reconozca su fruta preferida e insista en que se la des.

La gran mayoría de los bebés de 11 meses disfrutan al tocar y sentir diferentes texturas con los pies y con las manos. Como algo curioso, a muchos de ellos puede no agradarles la sensación de pisar la arena, o de agarrar con las manitos algo pastoso o pegajoso; esto indica el grado de desarrollo que han alcanzado sus sentidos; si éste fuera el caso de tu bebé, ofrécele estas nuevas texturas gradualmente, dándole tiempo a que se acostumbre.

Las relaciones espaciales, es decir "adentro", "atrás", "afuera", las dominan mucho mejor, y parte de ello se debe a los juegos y actividades que le hayan ofrecido.

Colocar un objeto dentro de otro puede ser todavía una tarea difícil, especialmente cuando le das, por ejemplo, dos potes vacíos de tamaños similares, y el bebé trata de meter uno dentro del otro; *el ensayo y error* parecen ser el camino ideal para resolver estos problemas; de todos modos, si ves que el bebé se frustra demasiado realizando la experiencia, no dudes en ayudarlo.

El aumento en la destreza motora se asocia a frecuentes caídas y accidentes menores; te sugiero que cuando suceda esto, no reacciones en forma exagerada, pues algunos niños tienden a asustarse demasiado y la experiencia puede convertirse en llanto y miedo injustificado. Esto no quiere decir que no le prestes atención, pues los bebés algunas veces necesitan de un abrazo y unas palabras de consuelo, para luego incorporarse de nuevo y continuar con el juego.

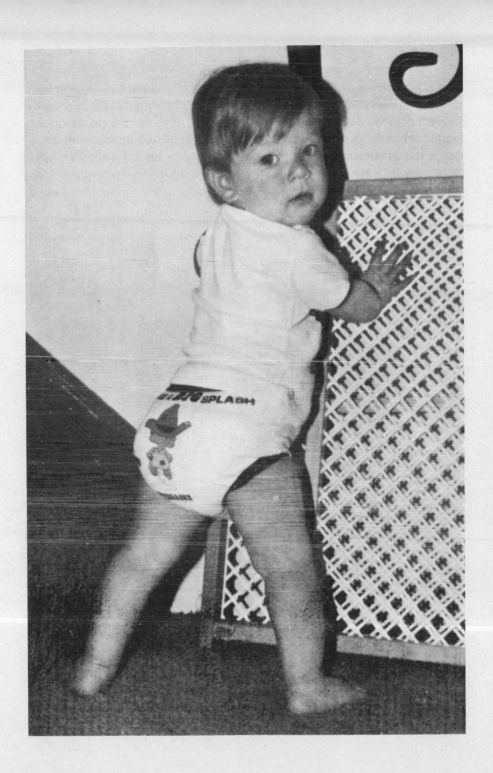

Durante este mes su capacidad para *darse cuenta de lo que sus padres aprueban o reprueban* crece insospechadamente. Es interesante observarlos cuando hacen algo prohibido, como por ejemplo arrancarle las hojas a la planta favorita de mamá, o doblar graciosamente la aguja del tocadiscos nuevo, o tirar completamente del rollo de papel higiénico presentándose en la sala con uno de los extremos; en estos momentos, la expresión facial de culpa es obvia, y en muchos de ellos

Explorando el ambiente

se lee claramente la necesidad de que los controlen y les pongan límites definidos a sus acciones.

Por otro lado, cuando hacen algo bueno, gracioso, o que implique un avance para ellos, les brilla el rostro y te miran buscando la recompensa en forma de aplausos, abrazos o un beso de sus padres. Todo esto, en dosis adecuada, *le proporciona al niño la energía interna y externa* que lo impulsan a desarrollarse; en otras palabras, "yo lo hice" y "me siento competente", constituye la fuerza interna; los aplausos, recompensas y besos de sus padres son los refuerzos externos que alimentan su evolución.

Al final de este mes, el peso y la talla promedio serán respectivamente *9,800 kg* y *74 cm. El número de comidas diarias* es de 3, y *la cantidad de leche* por toma continúa siendo de unos 240 ml; como siempre, esto dependerá mucho de los requerimientos del niño.

Modelo de desarrollo

Después de conversaciones con el doctor T. Berry Brazelton (experto en desarrollo infantil de la Universidad de Harvard) sobre modelos de desarrollo durante los primeros años de vida, me pareció conveniente resumir parte de las conclusiones.

Muchos padres piensan que el desarrollo del niño, entendiendo como tal la maduración y la adquisición de nuevas funciones, se hace en forma vertical (véase figura "Escalera de desarrollo"); sin embargo, ya deben haber notado que esto no es cierto. Quizás lo que más se aproxima al modelo real es *una verdadera escalera*, en donde la parte final de los descansos representa, aparentemente, un desequilibrio en el desarrollo, que se identifica por una *desorganización o regresión* en algunas de las capacidades ya adquiridas por el niño; la línea vertical es *el cambio o la evolución* en una o varias de las habilidades del bebé. Una vez que consigue subir este escalón, hay *un equilibrio* en donde los padres disfrutan temporalmente de la forma en que sus hijos han cambiado, hasta que se acerquen de nuevo a la línea vertical, y se manifieste una vez más el desequilibrio mencionado.

En capítulos anteriores hablábamos de cómo los niños, antes de aprender a pararse, comenzaban a tener problemas con el sueño, comían con menos apetito y se movían torpemente; esta desorganiza-

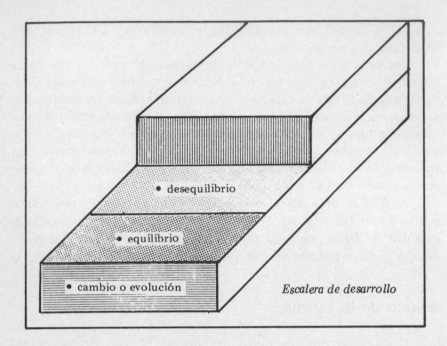

Escalera de desarrollo

ción (final del descanso de la escalera) no es sino la concentración de su energía hacia la nueva capacidad que emerge. Esto a veces sucede de una forma tan violenta que el bebé lo realiza de un día para otro (como por ejemplo sentarse, pararse, o caminar solo). Existen bebés con temperamentos diferentes, y al depender de éste, parecería que las fases de desorganización fuesen más o menos difíciles. Por otro lado, en algunas oportunidades puede coincidir una enfermedad cualquiera con este período de desequilibrio, complicando todavía más el proceso, tanto para el bebé como para sus padres.

Debido a ello considero clave entender este interesante modelo, pero sobre todo comprender al niño y tenerle mucha paciencia en estos momentos difíciles en que su energía se concentra hacia otro escalón.

Los padres sensibles a tales cambios sabrán cómo ayudarlos a organizarse, y sin lugar a dudas disfrutarán cada peldaño en la escalera evolutiva de sus hijos.

Es importante aclarar que a medida que los niños crecen las familias también lo hacen, y sin darse cuenta se adaptan a este cambio.

Actividad motora

La edad promedio en la cual los bebés caminan es entre los 11 y los 14 meses (una minoría lo hace antes).

Muchos padres se preocupan de si sus bebés van a aprender a caminar o no; lo cierto es que si ya dan pasitos agarrados de la mesa, y se sueltan temporalmente, están a punto de hacerlo, y sólo necesitan vencer la ansiedad que este importante logro les produce.

En esto, como en todo lo relacionado con el desarrollo infantil, hay diferencias individuales significativas, y si bien muchos bebés se sueltan a caminar desde temprana edad, muchos otros, más cautelosos, se toman su tiempo, como midiendo las consecuencias. Sea como fuere, el momento es trascendental para el bebé y ciertamente agradable para los padres; la expresión de felicidad, el brillo de los ojos y las vocalizaciones de alegría presentes en el niño cuando camina solo por primera vez son inolvidables. Una vez que empiezan, no pueden hacerlo lentamente sino que corren y chocan con las cosas que están en su camino; se sienten orgullosos y te lo demostrarán cada vez que puedan.

Caminando con ayuda

Tienes que aumentar la vigilancia, pues algunas caídas son la regla más que la excepción.

Al principio caminarán con las piernitas muy separadas (base ancha), el cuerpo inclinado hacia adelante, y los brazos abiertos como si fueran unas alas; a medida que practican, irán aproximando sus extremidades hasta hacerlo como un adulto.

Algo que parecería darles seguridad cuando empiezan a caminar es el hecho de llevar en su manito un juguete o algún objeto que pueda apretar, como si esta sensación les recordara el apoyo que antes tenía y sin el cual no se aventuraban a caminar.

El proceso es complejo y requiere dominar varios mecanismos como: frenar a tiempo, cruzar y retroceder; sin embargo todo esto es gradual, y no será sino hasta los 18 meses cuando sientas que lo hace con "seguridad".

Hasta que el bebé no camine bien, los zapatos deberán ser de *suela suave y flexible*, Muchas madres piensan que sus hijos requieren suelas duras como extrasoporte; lo cierto es que esto no los ayuda en lo absoluto y solamente los obliga a caminar más rígidamente, lo que entorpece el desarrollo natural de una marcha suave y equilibrada.

Si tu bebé es uno de esos aventureros, es probable que trate de montarse en sitios altos, y muchos de ellos, si les gustó la silla mecedora, intentarán imitarte meciéndose en ella.

Ahora está muy consciente de las alturas y, cuando se baja, cuelga las piernitas para comprobar si el piso está ahí; si no lo siente, es probable que te llame a gritos para que lo ayudes.

A veces muchos padres se preguntan en esta etapa del desarrollo, si no era mejor cuando gateaban, y no ahora que corren como alocados sin rumbo definido; la respuesta es que la etapa es pasajera, y una vez que dominen el arte de caminar y la emoción tan grande que esto les produce se tranquilizarán un poco más.

Otro avance importante es que ahora son capaces de agacharse, recoger un juguete o cualquier otra cosa, y levantarse de nuevo. Esta modalidad la realizarán una y otra vez, no sólo para fortalecer los músculos de sus piernitas, sino para continuar practicando su lanzamiento de objetos e investigar el ruido que hacen al caer, si se rompen, si rebotan, o si van a parar a algún sitio interesante.

Sube las escaleras gateando o arrastrándose, con un mecanismo digno de observar; primero monta una rodilla en el escalón, luego la

 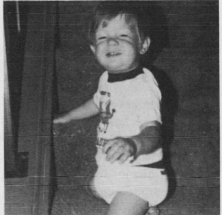

otra; al mismo tiempo, en perfecta sincronización, sus manitos se agarran del escalón superior para repetir con rapidez el proceso, que de alguna forma recuerda el movimiento de las ruedas y el engranaje de una locomotora. Una vez que llegue arriba es factible que intente bajar de nuevo utilizando el mismo mecanismo, y se vaya de cabeza, pues le es difícil sostener el peso del cuerpo con sus bracitos. Hay mamás que les enseñan a bajar retrocediendo lentamente, y en algunos casos el bebé aprende a hacerlo con rapidez.

Zapatos

Desde el momento en que el niño aprende a caminar hasta los 16 meses aproximadamente, los pies crecen con rapidez, y es probable que necesites cambiarle los zapatos cada 4 a 6 semanas. Después se los podrás cambiar cada dos o tres meses (esto varía).

Sé que a muchos padres les cuesta regalar o desechar tan rápidamente un par de zapatos que lucen nuevos; sin embargo, es muy importante para el desarrollo normal del pie el que tenga espacio suficiente para crecer.

Una regla práctica a la hora de escoger la medida correcta es que haya 1,5 cm de distancia, aproximadamente, entre la punta del zapato y los dedos del niño. Tallas demasiado grandes o anchas no son convenientes, pues la excesiva movilidad del pie puede producirle ampollas o deformar la postura natural del bebé al caminar.

Miedos

Si bien es verdad que el miedo propiamente dicho tiende a manifestarse más claramente en niños mayorcitos, también puede verse en menores de 1 año.

Un ejemplo de esto lo discutíamos en capítulos anteriores, cuando mencionamos la ansiedad de separación y la necesidad que tiene el niño de saber que cuando sus padres le dicen: "ya venimos, no te preocupes", realmente regresan, *estableciendo de esta forma la confianza del bebé*. El temor *a lo desconocido* es algo casi universal, no sólo en la niñez sino también en la edad adulta. El bebé de 11 meses le teme a lo nuevo, a lo que no conoce, a situaciones diferentes. Con frecuencia las mamás describen que su hijo se asusta con ciertos juguetes nuevos, en especial si hacen ruidos poco usuales o tienen formas exóticas.

De manera similar, si les presentan a una *persona extraña*, a muchos no les gusta que se les acerquen demasido o los abracen y besen sin antes haber estudiado detenidamente al individuo. Si lo piensas un poco, te darás cuenta de que no es tan anormal el que no se dejen besar o cargar por un desconocido; es muy probable que un adulto demuestre conductas similares si alguien trata de hacer lo mismo mientras va caminando por la calle. Por otro lado, si la persona en cuestión es muy grande y habla en voz alta, es todavía mayor el riesgo de que el bebé se asuste y no la reciba amistosamente.

El miedo a *la oscuridad* es otro temor que se presenta con frecuencia; es fácil imaginarnos la sensación del niño al despertarse en medio de la noche sin poder ver nada familiar a sus alrededores. Te recomiendo el uso de una lucecita de noche en su cuarto. Algunos especialistas sugieren que el dolor producido por la salida de los dientes, o el malestar de alguna enfermedad que pueda presentar, el niño los asocia con frecuencia en la oscuridad, pues usualmente es de noche cuando la molestia lo despierta. Estos bebés no se duermen a menos que les dejen en el cuarto la lucecita de noche, o la puerta semiabierta de manera que entre luz de afuera.

El miedo a *los animales*, en particular a los perros y gatos, es otro que sucede a menudo. La tendencia del adulto es la de acercar al niño al animal, agarrarle la manito y tratar de que lo acaricie; sin embargo, esto probablemente no constituye el paso inicial; por el contrario, se debe procurar mantener una distancia en donde el bebé se sienta confortable, y luego hacerle ver gradualmente que el animal es gracioso e inofensivo, comenzando uno mismo las primeras caricias y luego, si el niño lo desea, permitiéndole que él también lo haga. Aprovecho para recordarles que los gatos tienen fama de traicioneros, y que cualquier animal cachorro es juguetón, reforzando el miedo del bebé al morderlo o empujarlo amistosamente.

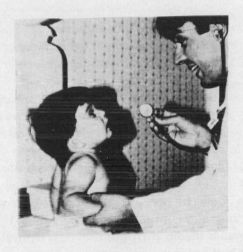

Otro de los temores que comienza durante este primer año es el que le tienen *al médico*; desgraciadamente, las vacunas son parte de las primeras consultas, y en determinadas ocasiones el niño asocia al doctor con dolor y miedo. Todo esto puede evitarse, parcialmente, si el médico aprende a ser suave en sus maniobras al examinar al bebé, espera a que se adapte al ambiente, y lo inyecta al final de la consulta si fuera necesario, mientras la madre lo carga. Otra técnica muy usada es la de darle un chupetín o un regalito al final de la sesión, de manera que el niño relacione el momento con algo grato. Algunos médicos prefieren que un asistente sea el que administre la vacuna, de forma tal que el bebé no los asocie con este acto de "agresión".

241

A mi juicio, todo lo que se pueda hacer para disminuir la ansiedad del niño durante estas visitas es muy deseable, pues facilita enormemente la eficacia de las siguientes consultas, y establece una importante confianza entre el pequeño paciente y su doctor.

Para finalizar, aquellos padres que le tengan temor a algo en particular, y lo demuestren delante de sus hijos, probablemente les transmitirán la misma sensación sin darse cuenta. La solución dependerá de los padres y de la capacidad que tengan de controlarse ante tales situaciones.

Sueño y alimentación

Los patrones de sueño y alimentación no presentan mayores cambios a esta edad. Probablemente el bebé continuará más interesado en jugar con la comida y en ver a sus alrededores que en comérsela propiamente.

El gusto por determinados vegetales, o el sabor de algunos alimentos, crece y se define. Habrá días en que se rehusará a comer vegetales y sólo se coma el pollo o la gelatina, mientras que en otras oportunidades le sucederá lo contrario. Todo esto es normal y frecuente; si te fijas bien, notarás cómo el bebé, en forma natural, balancea sus comidas.

La cantidad de leche necesaria para crecer normalmente hasta el final de este primer año continúa siendo de 2 biberones o varios vasitos que equivalgan a medio litro por día, o su equivalente en quesos, yogur, helado o budines (ver sexto mes).

Algunos médicos consideran importante un polivitamínico diario, de manera de disminuir un poco la preocupación eterna de si se comió o no la cantidad adecuada de frutas y vegetales en ese día; esto no quiere decir que por ello vayas a descuidar este importante grupo de alimentos.

El número de comidas principales es tres, y muchos continuarán exigiéndote su merienda a media mañana y a media tarde; más adelante podrás suspender la de la mañana si el niño así lo desea. Trata de que estos pequeños refrigerios entre las comidas sean constituidos por alimentos nutritivos como pedacitos de frutas, vegetales, o queso; no exageres con los dulces o las galletas, pues si bien tienen un valor calórico importante, no pasan de esto, y la mayoría de las veces sólo contribuyen a un futuro sobrepeso. Recuerda que *un niño gordo no es símbolo de un niño bien alimentado*.

Capacidad intelectual

Son pocos los bebés que pueden hablar algo durante este primer año; sin embargo, un cierto número de ellos dominan 2 ó 3 palabras además de papá y mamá; lo seguro es que su capacidad para entender

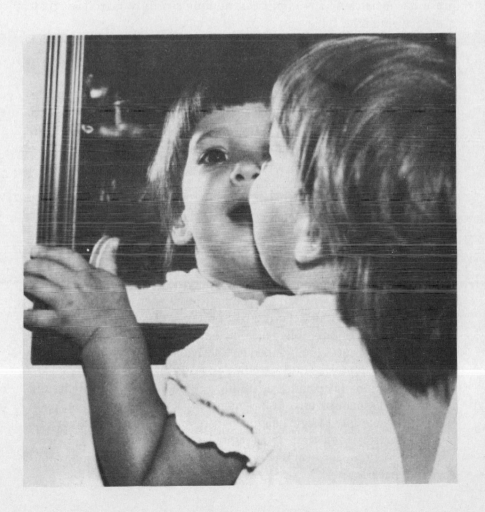

(lo que llamamos lenguaje receptivo) se encuentra bastante avanzada.

La mayoría de los bebés de 11 meses conocen el nombre de hasta diez objetos, y, como ya dije con anterioridad, son capaces de seguir un buen número de órdenes sencillas, si así lo desean. Es un buen momento para enseñarles el uso de "gracias" y "por favor", unidos a las cosas que le pidas; cuando el niño empiece a hablar, estas palabras serán parte normal de su vocabulario.

Es capaz de imitar el maullido de un gato cuando lo ve, y de apuntar hacia arriba cuando oye el ruido de un avión y le enseñas la foto de un pájaro. Puede imitar con más facilidad el lenguaje y las expresiones faciales de sus familiares, aunque sea muy poco todavía lo que se le entienda.

Practica con los medios para obtener los fines; un ejemplo de esto lo vemos cuando agarra una silla liviana, o el coche, para empujarlos y dar pasitos sin caerse.

El espejo continúa siendo algo fascinante, y si bien ya logra diferenciar su propia imagen de la de sus familiares, con frecuencia lo veremos golpeando el vidrio, tratando de sacar su juguete favorito reflejado en él, y sólo entonces se dará cuenta de su error.

Desarrollo sensorio-motor

Es capaz de agarrar objetos entre su dedo índice y el pulgar (pinza). Algunos pueden hacer una torre de dos cubos; también saben sostener una campana por el mango. Si le llenas la cuchara de comida, puede llevársela a la boca con cierta precisión; sin embargo, será a partir de los 16 meses cuando realmente estará en capacidad de hacerlo, sin dejar la mitad del arroz o el puré por el camino.

Aumenta considerablemente su habilidad para colocar o sacar objetos de diferentes recipientes; en "actividades sugeridas" aparecen gran cantidad de juegos que ejercitan esta destreza.

Puede pasar las páginas de un libro, pero no necesariamente una por una; si asociamos esto a su reciente capacidad para romper papeles, es probable que te lleves alguna sorpresa al leer tu libro favorito.

Algunos pueden tirar de la punta de las medias, y si son perseverantes, lograrán sacárselas completamente; sin embargo, todavía les es difícil hacerlo.

La visión se encuentra muy desarrollada en cuanto a la apreciación de formas, colores y dimensiones. Con todo, *el alcance visual*, entendiendo como tal su capacidad para ver tan lejos como un adulto, sólo lo conseguirá a los 6 años aproximadamente, cuando adquieren lo que los especialistas llaman *visión 20/20*.

Capacidad social

Por primera vez te darás cuenta, en forma más clara, de su futuro negativismo. El bebé aprende a decir "NO" con su cabecita y lo hace constantemente, aunque quiera decir "sí".

En la hora de la comida lo podrás ver moviendo la cabeza y el cuerpo de un lado a otro ejercitando su "NO", y haciendo que la sopa se riegue por todas partes. En forma gradual, se concientiza de que este "no" produce ciertas conductas en sus padres, y entonces lo practicará en el momento del baño, cuando lo cambien, o cuando lo obliguen a hacer algo que no desea.

Este "NO", que se inicia casi como un juego al imitar los "no" de sus padres, constituirá parte importante en su lucha por la independencia y creciente autodeterminación. Este *negativismo* es algo normal y deseable en el desarrollo del bebé, y llegará a su máxima expresión a la edad de dos años, también conocida por los padres y especialistas como "los terribles dos".

No hace falta describirles el grado de paciencia que los padres deben desarrollar antes de que sus hijos lleguen a esa edad; *la constancia en la disciplina, la claridad en las reglas del juego y el cariño* que le manifiestes al bebé durante esta lucha por su autonomía le serán invalorables.

Cuando hablamos sobre la evolución del lazo afectivo en capítulos anteriores mencionamos que al final del primer año el bebé se encuentra más unido que nunca a sus padres, en especial a la madre, que por lo general es la que pasa más tiempo con él. *Esta dependencia es normal*, y con el tiempo cederá el paso a una creciente independencia que caracteriza a los niños a partir de los 2 años.

Tabla de desarrollo
Decimoprimer mes

Físico

—Se mantiene parado solo.

—Se agacha y se levanta sin que lo ayuden.

—Camina agarrado a los muebles con facilidad.

—Puede dar uno o dos pasos sin apoyarse en los muebles o en las personas.

—Sube las escaleras gateando o arrastrándose.

—Camina agarrado de las manos.

—*peso*: varones: 8-12 kg; niñas: 7,4-11,8 kg.

—*talla*: varones: 70,1-78,7 cm; niñas: 67,8-77,2 cm.

Intelectual

—Puede decir dos o tres palabras además de papá y mamá.

—Obedece órdenes y entiende el significado de la palabra "no".

—Es consciente de sus acciones y algunas de sus implicaciones.

—Compara el mismo acto realizado, con cada lado de su cuerpo.

—Practica con los medios para obtener los fines.

—Su lenguaje tiene pocos sonidos comprensibles.

—Asocia ciertas propiedades con las cosas; ejemplo: imita el maullido de un gato cuando lo ve, apunta hacia arriba cuando le muestran la foto de un pájaro.

—Imita mejor las inflexiones, el ritmo de las palabras y la expresión facial, que el propio sonido de las palabras.

Sensorio-motor

—Puede utilizar sus manos en forma alterna; ejemplo: durante las comidas.

—Agarra objetos diminutos con facilidad entre su dedo índice y el pulgar.

—Puede llevarse la cuchara a la boca; sin embargo, será a partir de los 16 meses que realmente consiga alimentarse en forma efectiva.

—Algunos pueden tirar de la punta de las medias y sacárselas, o desatarse el lazo de los zapatos.

—Mete y saca objetos de una taza, pote o cualquier recipiente.

—Abre una caja levantándole la tapa.

—Puede colocar y quitar aros de una torre cónica.

—Pasa las páginas de un libro, pero no necesariamente una por una.

Social

—Imita el movimiento de los adultos y el de los otros niños cuando juegan.

—No siempre se comporta en forma cooperativa.

—Se muestra culpable cuando hace algo que le tienen prohibido.

—Busca aprobación y evita que lo reprendan.

—Cuando lo premian, repite una y otra vez el acto para que lo hagan de nuevo.

—Aumenta la dependencia de su mamá.

—Trata de agarrar y tocar imágenes en el espejo.

—Se divierte mucho con juegos como el escondite, y rodar una pelota hacia adelante y hacia atrás.

—Comienza a alterar algunos de los planes de sus padres mediante protestas y manipulaciones.

Actividades sugeridas

—*Sentado en el automóvil*: aprovecho para recordarles la importancia de que el bebé tenga su silla de seguridad en el asiento de atrás. A esta edad es probable que no duerma como antes mientras manejas el coche; colócale algún juguete o un libro de los que traen páginas con diferentes texturas atado a su silla, de manera que se distraiga durante el camino, y sobre todo cuando te detengas en los semáforos, pues basta que el coche no se mueva para que promuevan la mayor algarabía.

—*Salida al automercado*: como ya mencionamos, representa toda una experiencia para el bebé; aprovecha para enseñarle el nombre de las frutas y los diferentes comestibles que metas en el carrito.

—*Jugando con otros niños*: esta edad es propicia para que interactúe con otros niños; si son mayores que él, verás cómo los observa y trata de participar en el juego. Es factible que los hermanitos

"Negociando" una pieza del juego

más grandes (si los hay) lo consideren un tanto fastidioso, pues tiende a derrumbarles cuanta torre hayan armado, o se escapa con la pieza más importante del juego. Si tienen la misma edad empiezan a divertirse de inmediato e inclusive puede ser que compartan sus juguetes; esto último, en un futuro no muy lejano no lo entenderán muy bien, y será motivo de numerosas peleas.

—*Peinando a mamá*: dale un cepillo al bebé y trata de que te peine; se sienten importantísimos al hacerlo. Si no deseas ser el maniquí, consíguele una muñeca.

—*Humor*: el bebé de 11 meses comienza a entender y a disfrutar del humor. Agarra uno de sus zapatos y trata de ponértelo; en todas estas situaciones en donde el niño es capaz de captar lo anormal y lo poco usual, verás cómo se ríe a carcajadas.

—*Ritmos*: consíguele una cuchara de madera y varias ollas, voltéalas y deja que el bebé las golpee, descubriendo así los diferentes sonidos y dándoles su ritmo personal.

—*Rodando un juguete dentro de un tubo de cartón*: utiliza para esto un carrito o una pelota pequeña, mételos por un extremo del tubo y permítele que vea por dónde sale.

—*Desatando lazos*: amárrales lazos de colores a sus juguetes favoritos (osito, muñeca, etc.), y déjalo que los desate; esto los divierte mucho. Ten cuidado con el tamaño de los lazos y lo que hacen después con ellos, pues pueden usarlos como corbata, lo cual es peligroso.

—*Papel contacto*: abre una hoja de papel contacto y colócala con la superficie pegante hacia arriba, pon algunos juguetes sobre ella y deja que el bebé trate de despegarlos; si le cuesta mucho, ayúdalo.

—*Bajando las escaleras*: si tu hijo ya sube las escaleras, enséñale a bajarlas deslizándose sobre su estómago (los pies primero); algunos aprenden rápidamente.

—*Empujando una silla*: si el bebé ya se encuentra caminando, enséñale a que empuje una silla liviana o su coche, para que se desplace de un lugar a otro; lo disfrutan muchísimo.

—*Diferentes texturas*: deja al bebé descalzo para que camine sobre diferentes texturas, como arena, grama, alfombras, etcétera.

—*Pelotas*: coloca al niño delante de ti y ruédale una pelota hasta su alcance, trata de que te imite devolviéndotela.

—*Pasitas o pedacitos de galleta*: colócalas dentro de un frasco de plástico, tápalo y explícale cómo abrirlo; verás cómo trata de imitarte y aprende pronto a sacar las pasitas.

—*Objetos fríos*: abre la heladera y permítele que toque algunas latas o frascos al tiempo que le dices "frío".

—*Comidas*: deja que el bebé intente usar la cuchara para servirse por él mismo parte de su comida (puré de papas es un buen comienzo); te quedarás sorprendida del esfuerzo que realiza y de la alegría que le da el poder ayudarte.

Haciendo como el caballo

—**Momento del baño**: los juegos con el agua siempre son una experiencia valiosa; ofrécele diferentes recipientes, un colador, animales de plástico que floten, y objetos que se hundan; enséñale a pasar el agua de un recipiente a otro.

—**Cambiándole los pañales**: como ya dijimos, a esta edad les encanta estar de pie todo el tiempo; mientras le cambias los pañales dale un pedazo de adhesivo para que se lo pegue y despegue de las manitos; esto te dará tiempo suficiente para cambiárselos.

Recuerda que todos los bebés son únicos y diferentes, por lo tanto si tu bebé no realiza algunas de las actividades señaladas es probable que lo haga más adelante.

11 meses

N° comidas/día	p.s.m.l.	vacunas	datos
3	12 horas	. . . . . .	recuerda que un niño gordo no es símbolo de un niño bien alimentado.

p.s.m.l.: período de sueño más largo.

12 doce meses

12 doce meses

Por increíble que parezca, tu bebé ya tiene 1 año. Es difícil recordar los innumerables avances que mes a mes se describen en este libro; progresos en los cuales no sólo cambia el bebé, sino toda la familia.

Parece que fue ayer cuando te encontrabas en la sala de parto, enfrentando el resultado de todo este complejo proceso fisiológico que lo trajo al mundo. "¿Cómo cupo dentro de mí? ¿Seré capaz de cuidarlo? ¿Qué debemos hacer para que se desarrolle armoniosamente?"; todas estas preguntas ya no parecen tan complicadas, ahora tienes mucha experiencia, y si bien como he repetido antes "todos los bebés son únicos y diferentes", también tienen muchas cosas en común; así pues los próximos bebés, si te decides y puedes tenerlos, te serán más fáciles de comprender.

Ya habrás notado que los niños no son tan frágiles como parecen; sí pueden caerse, rasparse la nariz y las rodillas, y hasta aparecerles un "chichón" inmenso en la cabecita, pero algo mucho más grave es raro que suceda.

No hay duda de que los padres ahora tienen más confianza en ellos mismos, y es poco factible que alguien conozca a sus hijos mejor que ellos. En los primeros capítulos les mencionaba lo normal de que todos cometiéramos errores al principio en lo que se refiere a la crianza de nuestros hijos, y ya se habrán dado cuenta de que, pese a todo, los niños normales continúan creciendo y desarrollándose sin mayores problemas.

El niño tranquilo e indefenso de los primeros meses comienza a ganar *autonomía*; ahora cuando lo sientas en tus piernas no es tan fácil mantenerlo quieto; no lo puedes controlar como antes si decide agarrar algo que le interese. Está desarrollando la importante afirmación de que existe *como persona*, tiene deseos, preferencias, y hay muchas cosas que no le gustan, o le gustan demasiado. La función de los padres está ahí, en demostrarle claramente los límites de sus importantes exploraciones; recuerda que *un niño sin control se siente muy inseguro pues no tiene margen de referencia*; es como nadar de espaldas sin saber cuándo llegas al borde de la piscina.

El arte está en saber balancear la necesaria autonomía del niño y la disciplina adecuada a su nivel·de razonamiento. De nuevo les repito que un niño antes de los 2 años, aproximadamente, *no cuenta con un razonamiento lógico*, y es probable que no entienda explicaciones complejas acerca de las consecuencias de sus actos. Amor, paciencia y firmeza son quizás los instrumentos que más te ayudarán durante los dos años siguientes.

Durante este mes lo verás sumamente ocupado perfeccionando algunos de sus logros más recientes. El arte de caminar solo, "hablar" y alimentarse, todavía es rudimentario; así pues, entra en el segundo año con algunas herramientas motoras e intelectuales en pleno desarrollo, que lo ayudarán a relacionarse con sus semejantes y a enfrentar nuevas situaciones; afortunadamente no se siente solo, pues sabe que sus padres están ahí para apoyarlo cuando las cosas se compliquen demasiado.

Al final de este mes, el peso y la talla promedio serán respectivamente de *10 kg* y *75 cm. El número de comidas diarias* es de 3, y *la cantidad de leche* por toma sigue siendo 240 ml; como siempre, todo dependerá de los requerimientos individuales de cada bebé.

Desarrollo motor

Aproximadamente 3 de cada 5 bebés aprenden a caminar solos al cumplir el año de nacidos. Algunos más tranquilos lo harán en los próximos cuatro meses, sin que esto refleje un retraso importante.

En capítulos anteriores les comentaba sobre la existencia de tres grupos de bebés: activos, pasivos y término medio; todos alcanzan, tarde o temprano, metas comunes, pero lo hacen con un estilo y ritmo personal.

Los niños varían considerablemente en sus métodos para aprender a caminar; los más cautelosos miden cuidadosamente la distancia a recorrer, y sólo despegan cuando tienen claro el punto adonde quieren llegar, y las posibilidades de agarrarse a él. Hay otros más "descuidados" que se lanzan a correr sin rumbo definido, e impulsados por su propia inercia tropiezan con lo que tengan por delante. Es probable que notes cómo le gusta llevar algo en la manito mientras camina; como ya mencioné, se trata de una forma de reasegurarse cuando no se encuentra apoyado en algo.

Existen unos carritos de juguete para empujar (como los del automercado, o tipo carretilla) con una barra donde el niño se apoya mientras camina y lo rueda, que ayudan al nene a soltarse caminando;

Caminando solo

disfrutan mucho de esta actividad, pues a la vez que se están desplazando solos están llevando algo por sí mismos y se sienten importantes.

Algunos bebés aprenden a salirse de la cuna o del corral; esto obviamente puede ser peligroso, pues una vez que se encuentran arriba de la baranda algunos tienden a lanzarse al piso, como escapándose de "la prisión". La solución a este problema va desde dejarle una

de las barandas de la cuna más baja para que no se caiga de una gran altura hasta colocarle cojines a su alrededor para amortiguar el aterrizaje. Hay padres que prefieren ajustarle una tapa o una red por encima a la cuna, o entonces ponerle un arnés al bebé cuando está dormido, de manera que no pueda salirse; no estoy de acuerdo con estos últimos sistemas por lo restrictivos y lo mucho que recuerdan las jaulas de un zoológico.

Creo que si el niño se sale y se presenta en el salón o en el cuarto de sus padres con una sonrisa picaresca debe colocárselo de nuevo en su cuna con una breve explicación, acompañada de firmeza y rostro decidido. A la larga, el niño aprenderá las reglas del juego y entenderá que cuando le dicen "a dormir" no hay muchas opciones.

Desgraciadamente esto que les digo no es fácil en la práctica, y sé, por experiencia propia, lo cansador, desesperante y algunas veces hasta divertido que se convierte el hecho de que nuestros hijos se salgan solos de su cuna.

Muchos bebés de esta edad son capaces de quitarse alguna pren-

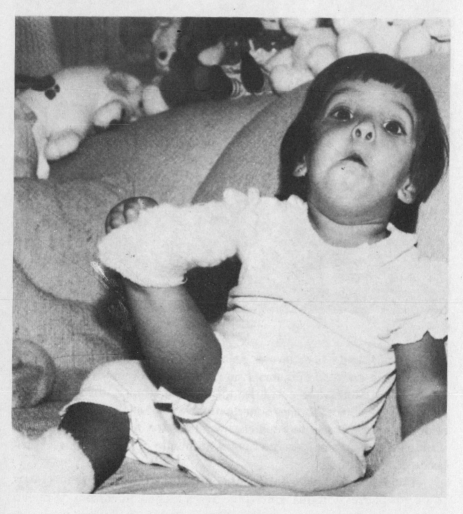

Quitándose las medias

da de vestir, usualmente los zapatos o las medias, siempre que estén medio sueltos. Suben las escaleras gateando sin mayor problema; sin embargo, a la hora de bajarlas te recomiendo que estés muy pendiente pues casi todos se vienen rodando.

Cuando se encuentra de pie, ahora es capaz de girar sobre sí mismo 90 grados.

En el momento del baño verás cómo realiza movimientos como si estuviera nadando; existen entrenadores que se valen de esto para enseñarles a nadar desde temprana edad; en lo personal no comparto esta nueva necesidad que le han creado a muchos padres, pues, a menos que vivieran en un "palafito", este proceso de aprendizaje puede hacerse en forma natural y gradual durante el segundo o tercer año de vida, sin necesidad de sumarle presiones extras al bebé.

Una vez que el niño domine parcialmente su marcha, lo verás combinando sus pasitos con otras actividades como tirar de un juguete por la cuerda, empujar una carretilla, o simplemente transportar objetos de un sitio a otro.

Si por casualidad tiene hermanitos u otro compañerito mayor que él, es probable que los imite en algunos ejercicios gimnásticos, o baile al compás de la música junto a ellos.

Otra habilidad que se perfecciona es la de lanzar objetos; si le das una pelota, la empuja con su mano o trata de arrojarla sin rumbo definido; les gusta mucho seguir su trayectoria con la mirada, así como que se la devuelvan en plan de juego.

Otro detalle divertido es que algunos bebés se agachan y recuestan la mejilla contra el piso, para llamar la atención una vez que los familiares lo ven y repiten esto en forma incansable.

Podemos así comprobar lo mucho que el niño se ha desarrollado, y cómo ahora sabe y es capaz de producir y obtener, respectivamente, cambios y respuestas del ambiente en que vive.

Capacidad sensorio-motora

A los bebés de esta edad les gusta mucho realizar experimentos con diferentes sensaciones: objetos húmedos, mojados, fríos, pegajosos, duros, o suaves. Estas investigaciones continúan a la hora de comer, y la tarea de sacarle las manitos del plato de comida a veces se hace imposible; hasta los padres más obsesivos con la limpieza terminan por rendirse ante la persistencia de algunos de estos jovencitos.

Los diferentes sonidos los atraen de la misma forma en que lo hacen las variadas texturas de las cosas; por eso los vemos golpeando la vajilla con la cuchara, así como su silla de comer o la mesa donde lo alimenten, para obtener de esta forma toda una gama de sonidos.

Ahora agarra los objetos con mucha precisión, sin necesidad de verlos directamente; al hacerlo utiliza una mano más que la otra, haciéndote ver con claridad su futuro lado dominante.

Meses antes lo veías separar los juguetes, colocándolos por todos los rincones de la habitación, pero de ahora en adelante sucederá lo

 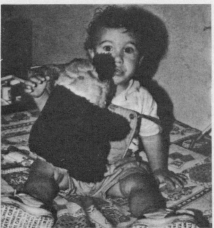

contrario, y notarás cómo la tendencia es de *agruparlos*. Así pues, prepárate a recoger montoncitos de juguetes en diferentes sitios.

Muchos bebés de 12 meses consiguen construir unas torres de dos o tres bloques, si antes ven a alguien haciéndolo. Otro detalle interesante lo constituye su capacidad para *almacenar*; si el niño tiene un objeto en cada manito, y le ofrecen un tercer juguete, es probable que se coloque uno en la boca o debajo del brazo tratando de agarrarlos todos. Estoy seguro de que esta destreza le será muy útil cuando vaya a su primera piñata.

Muchos de ellos ya se apegaron a un *objeto transicional* (osito, muñeca, etc.) o están a punto de hacerlo; es divertido verlos dándole la comida o bañándolos, imitando tus acciones. Si le das un lápiz es probable que raye en el papel sin mucho sentido; es lo que se espera normalmente a esta edad. A los 21 meses algunos son capaces de imitar una raya vertical, y a partir de los 2 años intentarán copiar un círculo o figuras más complicadas; por lo tanto, no se apresuren demasiado.

La hora del baño continúa siendo una gran experiencia, en donde todos los juguetes que floten intentarán ser hundidos, y aquellos que no lo hagan tratarán de que floten; con el tiempo la diferencia quedará grabada en sus cabecitas.

Los bebés comienzan a cooperar y a resistirse al mismo tiempo; esto representa la ambivalencia entre ser *independientes* y *dependientes* de sus padres al mismo tiempo.

Esta lucha interna llega a su máxima expresión a los 2 años de edad aproximadamente, y decimos sin exagerar que representa *la adolescencia de los niños.*

Desarrollo social

Los bebés de 1 año controlan bien sus primeras palabras; "mamá" no sólo significa "mamá", sino que, de acuerdo con la entonación que usen, indica que venga inmediatamente a cargarlo o a resolverle algún problema. De la misma forma, un simple "ba-ba" puede significar "quiero un biberón"; lo más interesante es que las madres son capaces de entender un sinnúmero de vocablos, que para otra persona pudiesen no significar nada.

El bebé conoce los nombres de casi todos los integrantes de la familia. Su lenguaje receptivo, o sea lo que es capaz de entender, es inmensamente más grande de lo que puede expresar. Durante el segundo año lo verás multiplicar sus palabras, y para darte una idea, un niño de 18 meses es capaz de decir de 20 a 40 palabras, mientras que uno de 24 meses ya domina de 100 a 150, y a la edad de 3 años mantienen una conversación normal con sus compañeritos. Todo esto es muy variable, y, como siempre, depende de cada bebé, del ambiente que lo rodea, y en muchos casos de un sistema auditivo normal.

Aprovecho para recordarles a los padres que muchos de los retrasos que se ven en el lenguaje se hallan asociados a trastornos de tipo crónico, como algunas infecciones del oído medio, que a veces pueden ser corregidas a tiempo en forma tal que no afecten el desarrollo de este importante sentido.

Los bebés de 12 meses expresan muchas de sus emociones y son capaces de reconocerlas en otras personas. El interés, curiosidad, y el deseo de imitar lo que hacen los adultos, los convierte en verdaderas esponjas del aprendizaje.

Los lugares y personas extrañas pueden darle miedo, y es probable que reaccione en forma brusca cuando lo separen de la madre; necesita saber que ella está cerca cuando se encuentra en un sitio diferente.

El segundo año de vida te ofrecerá muchos retos nuevos, problemas, y sin lugar a dudas nuevas oportunidades para aprender y crecer juntos.

A medida que el niño desarrolla su personalidad no es raro que los padres caigan en la tentación de "identificarse" exageradamente con su hijo, y consciente o inconscientemente traten de amoldarlo en la forma que a ellos les hubiera gustado ser. Hay madres que desean que sus hijos sean brillantes, superinteligentes, y entonces enfatizan el área del lenguaje y la lectura, olvidando el interés que pueda tener el niño en, por ejemplo, construir una torre de bloques o jugar a la pelota. De la misma forma, muchos papás pueden decidir que su hijo sea un superatleta, aun cuando al niño lo que más le guste sea leer o pintar.

En ambos ejemplos, *la identificación exagerada* no contribuye en absoluto al desarrollo de la originalidad y de los intereses propios del niño, que lo harán sentirse como alguien único y a la larga conformarán su propia imagen. La respuesta está en guardar equilibrio, y balancear tus ideales y metas con los intereses y habilidades del niño, respetando siempre lo único y diferente que pueda ser de ti, así como estimulando sus pequeñas decisiones e inquietudes.

Tabla de desarrollo
Decimosegundo mes

Físico

—Cuando se encuentra de pie, puede girar sobre sí mismo 90°.

—Si ya camina, probablemente todavía prefiere gatear o arrastrarse hacia su objetivo, pues lo hace rápidamente.

—Puede hacer nuevas maniobras al caminar, como por ejemplo: decir adiós con su manito, retroceder, pararse con más precisión, etcétera.

—Se pone de pie sin ayuda, pasando de la posición agachada a la erguida, extendiendo las piernas.

—Sube y baja las escaleras, en su manera peculiar.

—Algunos pueden salirse de la cuna o del corral.

—Se sienta con suavidad.

—Muchos de ellos insisten en alimentarse solos.

—Pueden quitarse alguna prenda de vestir.

—Cuando se bañan, hacen movimientos como si estuvieran nadando.

—*peso*: varones: 8,1 - 12,4 kg; niñas: 7,6 - 12,3 kg.

—*talla*: varones: 71,3 - 80,2 cm; niñas: 68,8 - 78,7 cm.

Intelectual

—Percibe los objetos como algo separado de él y con los cuales puede jugar.

—Abre el envoltorio de un regalo; encuentra un juguete escondido debajo de una caja, una taza, etc., si ha visto cuando lo escondes.

—Recuerda los eventos por mucho más tiempo.

—Puede agrupar algunos objetos por formas y colores.

—Identifica en su libro a algunos animales.

—Sigue algunas instrucciones sencillas, y comprende mucho más lo que le dicen sobre su rutina diaria.

—Realiza experimentos con relaciones espaciales (altura, distancia, etcétera).

—Comienza a desarrollar su conciencia.

—Balbucea oraciones cortas.

—Realiza experimentos que implican acción y reacción (causa y efecto).

—Imita un modelo de conducta en forma más precisa y deliberada.

Sensorio-motor

—Usa y alcanza los objetos prefiriendo una de sus manos.

—Agarra un objeto con precisión, sin necesidad de verlo directamente.

—Construye una torre de dos o tres cubos después de ver cómo se hace.

—Comienza a juntar los objetos (almacenar) en vez de separarlos.

—Si tiene un objeto en cada mano, y le ofreces un tercero, es probable que se coloque uno de ellos en la boca o debajo del brazo, tratando de almacenarlo, para agarrar el nuevo que le dan.

—Le gusta mucho jugar con el agua.

—Cuida y se apega a un osito, muñeca u otro objeto; algunos tratan de bañarlo y alimentarlo.

Social

—Expresa muchas de sus emociones y es capaz de reconocerlas en otras personas.

—Demuestra gran interés en lo que hacen los adultos.

—Le tiene miedo a las personas y lugares extraños.

—Reacciona en forma brusca cuando lo separan de la madre; necesita saber que ella está cerca si se ve en un sitio desconocido.

—Se diferencia mejor él como algo separado definitivamente de las otras personas y del ambiente que lo rodea.

—Es capaz de darle afecto a otros humanos y a objetos favoritos, como un osito, muñeca, etcétera.

—Puede rehusarse a que le den la comida, o a comer alimentos nuevos.

—Puede resistirse a dormir la siesta; algunos arman verdaderos escándalos y rabietas.

—Cuando realiza algo suele pedir más ayuda de la necesaria, pues sabe que es más fácil hacerlo de este modo.

Actividades sugeridas

—*Montañas*: dobla varios cartones en forma de subidas y bajadas; enséñale al bebé cómo se desliza su carrito por la bajada.

—*Explorando*: esconde diferentes juguetes y trata de que el niño los consiga; utiliza numerosos objetos en forma tal que tenga que usar bastante su lenguaje.

—*Sombras*: lleva al bebé a un sitio soleado y enséñale lo que es una sombra; luego jueguen a pisar las sombras.

—*Pelotas*: ruédale una pelota playera y trata de que la agarre.

—*Arrojando objetos*: coloca una caja o una olla en un espacio abierto y enséñale a arrojar los objetos dentro de ella.

—*Silla*: consíguele una silla pequeña de modo que pueda sentarse sin ayuda.

—*Esponja*: ofrécele una esponja para que te ayude a limpiar; en

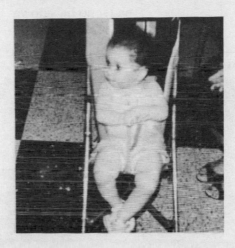

esta edad, la imitación asociada a la idea de poder ayudarte los hace sentir importantísimos.

—*Tacos*: construye una torre y luego permítele que te imite.

—*Bañando la muñeca*: coloca una muñeca en la bañera y lávale el pelo; haz que el bebé también lo intente.

—*Tubo de cartón*: ofrécele un tubo de cartón y enséñale que puede hacer rodar una pelota con el mismo, empujándola.

—*Lectura*: consigue libros infantiles variados, con figuras o diseños simples; permítele al bebé que pase las páginas y pregúntale el nombre de los diferentes objetos.

—*Tazas*: coloca tres tazas de plástico invertidas, y esconde un objeto que lo atraiga debajo de una de ellas; trata de que descubra en dónde se encuentra.

Recuerda que todos los bebés son únicos y diferentes, por lo tanto si tu bebé no realiza algunas de las actividades señaladas es probable que lo haga más adelante.

12 meses

N° comidas/día	p.s.m.l.	vacunas	datos
3	12 horas	test de la tuberculina (si no ha sido vacunado con la BCG)	se acentúa su negativismo.

p.s.m.l.: período de sueño más largo.

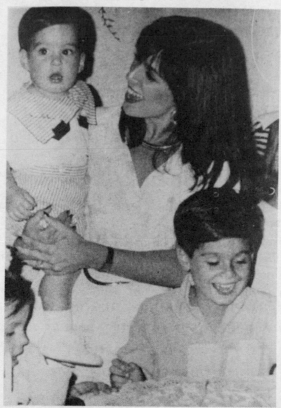

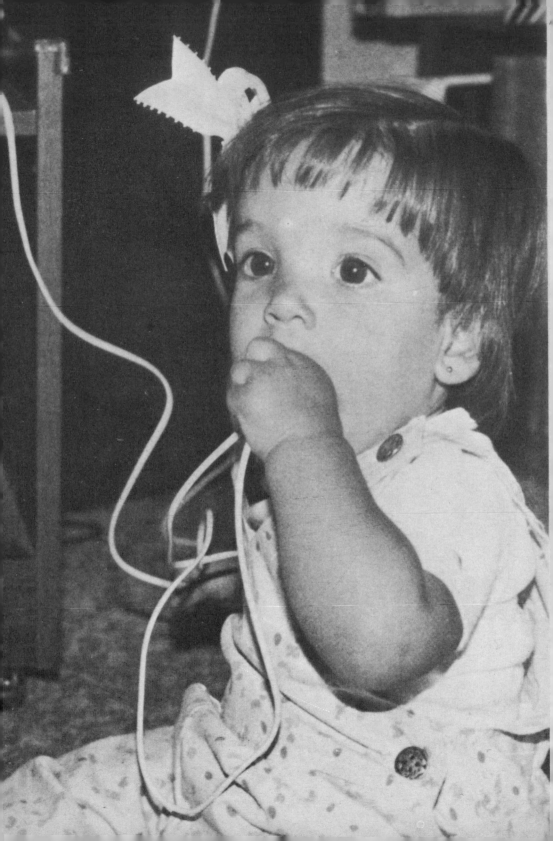

Prevención de accidentes

Prevención de accidentes

Los accidentes constituyen, sin lugar a dudas, la primera causa de muerte durante la infancia. La mitad de estas fatalidades es provocada por accidentes automovilísticos, mientras que el resto de ellas obedece a envenenamientos, ahogados, caídas, quemaduras y armas de fuego.

Gran cantidad de estudios han demostrado que 1/3 de todos estos accidentes ocurren en casa, así como que la incidencia en varones es bastante mayor que en niñas.

Los niños, en general, tienen lo que podríamos llamar una "combinación letal", en donde se mezclan la creciente movilidad e independencia junto a un juicio o forma de pensar relativamente inmaduro. Antes de los 6 años de edad, aproximadamente, el pensamiento es *prelógico*, y por lo tanto es fácil que los pequeños se vean envueltos en situaciones a veces de grandes consecuencias.

Este capítulo tiene como función recordarles la importancia de anticiparnos a todos estos problemas, tratando en todo momento de supervisar a nuestros hijos sin llegar al extremo de sobreprotegerlos, para no restringir así su mundo de experiencias.

La guía que se presenta a continuación debes tomarla como algo general. Recuerda que en algunos niños el temperamento puede influir considerablemente en el grado de vigilancia que debas tenerle, así como en el tipo de medidas de seguridad a adoptar. Niños muy activos y persistentes tienden a encontrar el peligro con más facilidad comparados con niños de temperamento más "tranquilo".

10 datos importantes en la prevención de accidentes

1) Utiliza siempre cinturón o una silla de seguridad en el automóvil, aunque se trate de distancias cortas a recorrer.

2) Ten siempre "jarabe de Ipeca" en casa para que puedas inducir el vómito en caso de envenenamiento.

3) Anota el número de teléfono del Centro de Intoxicaciones.

4) Ten al alcance de tu vista, cerca del teléfono, el número de los bomberos, la policía, el médico, etc., de manera que si lo necesitas puedas llamar con rapidez.

5) Equipa tu casa con detectores de humo, seguros en los gabinetes, tapas en los tomacorrientes y una rejita en las escaleras.

6) Revisa los muebles y los juguetes con los que juega el niño, y retira aquellos que sean fáciles de romper, tengan puntas agudas, o se desarmen en piezas muy pequeñas.

7) Conoce el ambiente en donde juega el niño cuando se encuentra fuera de la casa.

8) Aprende a reconocer cualquier conducta autodestructiva en tu niño, para que se lo notifiques al médico y ambos tomen las medidas adecuadas.

9) Reconoce tus propias limitaciones (fatiga, enfermedad, preocupaciones) en lo que respecta a la supervisión adecuada del niño.

10) Siempre que tu hijo se encuentre delante de nuevas experiencias, piensa: ¿Es esto seguro para mi hijo?

Recién nacido a 2 meses

—*Automóvil*: para prevenir accidentes, lleva al bebé desde el hospital hasta la casa o durante cualquier recorrido, semisentado en su silla de seguridad. Son muchos los bebés que por negligencia de los padres sufren heridas en la cabeza, el cuerpo, o son arrojados fuera del automóvil durante un choque, por no adoptar esta medida.

—*Caídas*: nunca dejes al bebé solo en sitios altos; si debes retirarte, aunque sea por un momento, colócalo en un sitio seguro (cuna, coche, corral).

—*Bañándolo*: por ninguna circunstancia dejes al niño solo en la bañera; pocos centímetros de agua son suficientes para ahogar a un bebé de esta edad.

—*Cuna*: si te decides a comprar una cuna, comprueba que la separación entre las barras no sea mayor de 5,5 cm, que no tenga diseños complicados en donde puedan quedar atrapados los deditos, brazos, piernas o cuello del bebé. Comprueba asimismo que las barandas tengan seguro. Evita almohadas grandes o peluches muy blandos que puedan bloquear la respiración del niño.

—*Quemaduras*: instala detectores de humo en el sitio donde vivas. Regula la temperatura del calentador de agua, en forma tal que no pueda quemar a las personas (54° C). Ten al alcance un extinguidor de fuego y aprende a usarlo.

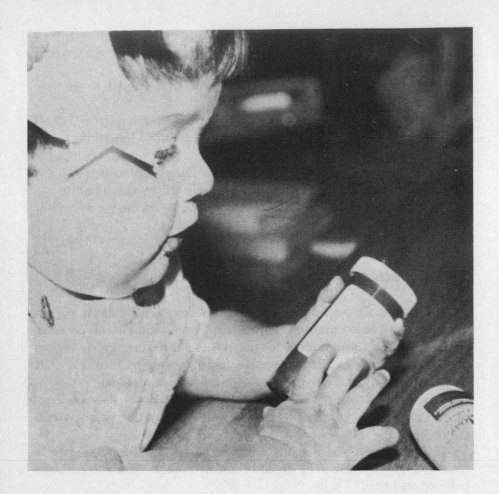

2 a 4 meses

—*Corrales*: las barras no deben tener una separación mayor de 5,5 cm. Si son de malla, asegúrate de que los agujeros no sean tan pequeños que puedan atrapar los dedos del nene. Existen algunos corrales que pueden plegarse solos debido a un diseño defectuoso, y atrapar al niño en su interior.

—*Portabebés*: son sumamente prácticos; cerciórate de que el material sea resistente y de que el cinturón de seguridad con que vienen equipados esté bien atornillado.

—*Jugando con otros niños*: supervisa que no lo pisen o le caigan encima; nunca dejes a otro niño, menor de 6 años, que cuide solo al bebé. Cuida de que no le den objetos pequeños o peligrosos para que juegue.

—*Medicinas*: todas las medicinas deben estar bajo llave en un gabinete fuera del alcance de los niños.

—*Quemaduras*: no fumes, tomes o cargues bebidas calientes cuando estés cerca del bebé; no cocines con el niño cargado.

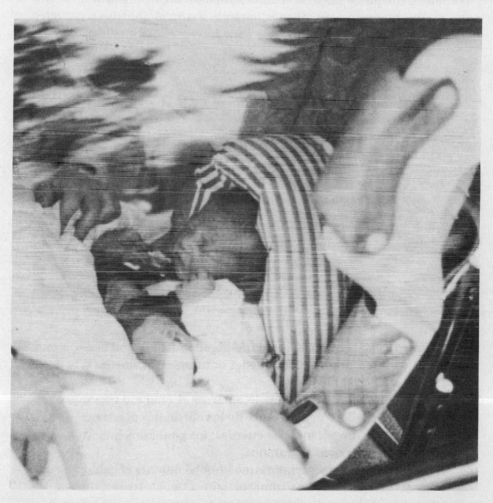

Silla de seguridad en el carro

4 a 6 meses

—*Silla de comer*: si adquieres una de éstas, asegúrate de que no tenga bordes salientes o puntiagudos. La base debe ser ancha, de forma tal que no se voltee; la bandejita debe estar bien asegurada, así como el cinturón que se ajusta alrededor del niño en el momento de las comidas.

—*Caídas*: a medida que el bebé se acerca a los 6 meses de edad, el peligro de que se salga de la cuna aumenta. Baja el nivel del colchón de modo que no pueda saltar la baranda; retira almohadas y juguetes grandes que el niño pueda utilizar para apoyar el pie y salirse.

—*Medicinas*: si tienes que darle alguna medicina al bebé, nunca lo hagas en la oscuridad, pues puedes confundir el remedio o la dosis recomendada por el médico.

—*Estrangulamiento*: nunca le amarres el chupete con una cinta alrededor del cuello. Aleja la cuna de las cortinas o persianas, de manera que el niño no alcance las cuerdas; los gimnasios que utilices en la cuna deben estar bien asegurados.

—*Electricidad*: no permitas que el bebé muerda el cable de cualquier aparato eléctrico. Los tomacorrientes deben tener tapas de seguridad. Los enchufes de algunos aparatos, aunque se encuentren desconectados, pueden todavía estar lo suficientemente cargados de electricidad como para quemar la boca del niño.

6 a 9 meses

—*Muebles*: a esta edad el bebé se encuentra capacitado para desplazarse y alcanzar un gran número de áreas de la casa; para prevenir heridas y lesiones en la cabeza, dientes, etc.; debes proteger las puntas de los muebles, y, si es necesario, retirar todos aquellos que puedan romperse como mesas de vidrio, estantes frágiles, floreros. Nunca abras o cierres la puerta sin antes ver en dónde se encuentra el niño; los dedos a esta edad son sumamente finos, y cualquier puerta, en particular las de metal, son capaces de cortárselos.

—*Piso*: esta es la edad en la cual el bebé se arrastra y gatea por toda la casa; verifica las condiciones del piso: grietas, clavos, astillas; trata de mantenerlo lo más limpio posible.

—*Escaleras*: toda escalera debe estar cerrada con una rejita apropiada; son sumamente frecuentes las caídas a esta edad. Un accidente común es el del niño en su andador que llega al borde de la escalera y continúa rodando hasta abajo.

—*Auto*: siempre que lo lleves en el auto, el bebé debe ir sentado en su silla de seguridad.

9 a 12 meses

—*Cocina*: la cocina es uno de los sitios más peligrosos de la casa. A esta edad el niño se encuentra investigando a tiempo completo; por lo tanto las gavetas de los cuchillos y gabinetes deben tener seguros; ciertos detergentes para lavar los platos también pueden ser muy peligrosos. Utiliza las hornillas de atrás siempre que puedas; y los mangos de las ollas y sartenes debes colocarlos hacia adentro, de forma tal que el niño no pueda alcanzarlos.

—*Baño*: cuidado con las hojas de afeitar, el agua caliente y los aparatos eléctricos. Todas las medicinas deben estar fuera del alcance del bebé, incluyendo vitaminas.

—*Plantas*: el niño continuará estudiándolo todo con su boca has-

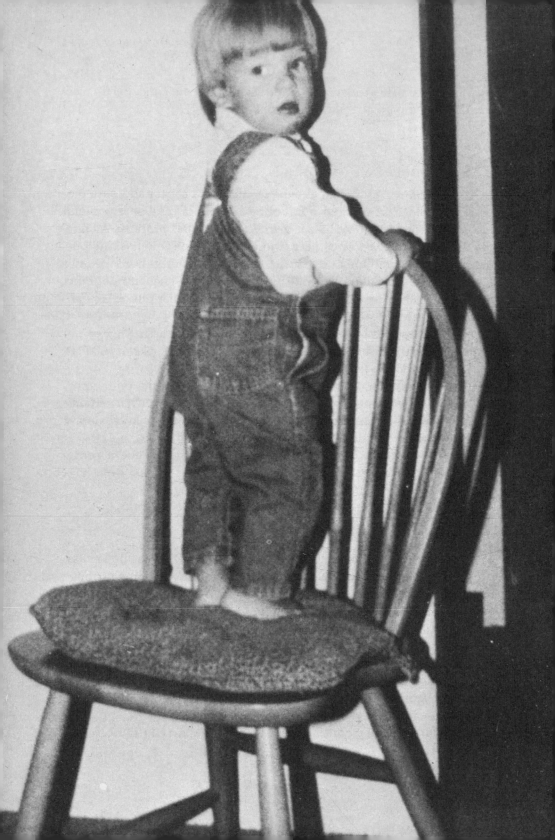

ta los 18 meses aproximadamente; asegúrate de que las plantas que tengas dentro de la casa no sean venenosas, o tengan espinas y bordes que corten.

—*Querosén y otras sustancias*: nunca coloques veneno o combustible en botellas de refresco; es sumamente frecuente que el niño trate de imitarte tomando refrescos y se envenene accidentalmente. Nunca dejes este tipo de sustancias al alcance del bebé.

—*Aprendiendo a caminar*: anticípate en lo posible a las caídas del bebé.

—*Ahogos*: vigila que el bebé no se lleve a la boca objetos muy pequeños, o que tengan partes removibles, como rueditas; asimismo, nunca deben dársele maníes, nueces o chicles.

—*Animales*: si tienes perros o gatos en tu casa asegúrate que estén bien vacunados y en buen estado de salud. Supervisa siempre la normal interacción del bebé con los animales.

Cómo proceder en caso de ahogos

El número de muertes por ahogo durante los primeros años de vida todavía es considerable.

En esta sección se describen algunas de las maniobras utilizadas con frecuencia en el caso de atragantamientos producidos por objetos

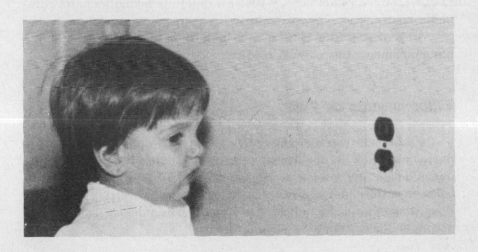

pequeños, como pueden ser nueces, pasitas, maníes, frutas con cáscara, caramelos duros, etc. La lista es larga, y es a ustedes, como padres o encargados del niño, que les corresponderá prevenir y en ciertos casos actuar con rapidez para evitarle la asfixia.

Niños menores de 1 año

1) Coloca al bebé boca abajo, doblado sobre tu antebrazo y apoyado sobre tu cuerpo.

2) Administra cuatro golpes con la palma de tu mano en la espalda del niño, entre los huesos (omóplatos).

3) Si la obstrucción no es removida y el bebé todavía no respira, colócalo sobre una superficie plana (suelo, alfombra) de espaldas, y realiza cuatro compresiones rápidas (similares a las que se usan para el masaje cardíaco) sobre el pecho, utilizando dos dedos.

4) Revisa la boca del niño, y si el objeto es visible, puedes intentar removerlo: nunca intentes hacerlo ciegamente, pues puedes hacer que se introduzca aun más.

5) Si pese a estas maniobras el bebé no respira, debes iniciar la respiración boca a boca. Coloca al bebé boca arriba y extiende suavemente el cuello; aprieta la nariz con dos de tus dedos, y colocando tu boca contra la del bebé sopla aire de tus pulmones hasta que veas cómo se mueve el pecho del niño; luego detente por unos segundos hasta que el aire salga del bebé, y vuelve a repetir la maniobra hasta completar cuatro veces el procedimiento.

6) Si pese a todo el bebé no respira, repite los pasos del 1 al 5, e inmediatamente busca ayuda médica.

Niños mayores de 1 año

1) En estos casos el niño debe ser agarrado por detrás, con tus brazos alrededor de su cintura; luego, con la palma de una de tus manos, ayudada por la otra, se aplican de 6 a 10 compresiones abdominales en la línea media, entre el ombligo y la "V" invertida de las costillas (maniobra de Heimlich). Las compresiones deben ser rápidas y orientadas hacia adentro y hacia arriba.

2) Si la obstrucción persiste, y el niño no respira, revisa el interior de la boca y trata de visualizar el objeto; si lo ves, intenta removerlo.

3) Si pese a todo, el niño continúa sin respirar, debes iniciar la respiración boca a boca de la misma forma descrita para los niños menores de 1 año en el paso 5°. Si esto no funciona, repite la maniobra de Heimlich.

4) Debes repetir los pasos del 1 al 3 hasta que logres que el niño respire de nuevo. Asegúrate de que alguien busque ayuda médica de inmediato.

Estas maniobras descritas han salvado a un gran número de bebés y niños mayores, así como a muchos adultos. Pídele a tu médico que te las enseñe si no las has comprendido bien, y enséñaselas a tus familiares y a todas aquellas personas que cuiden a tus niños.

Como siempre, la prevención de estos accidentes es lo más acertado, pero si llegase a sucederle a tu bebé, es bueno que te encuentres capacitada para controlar la situación.

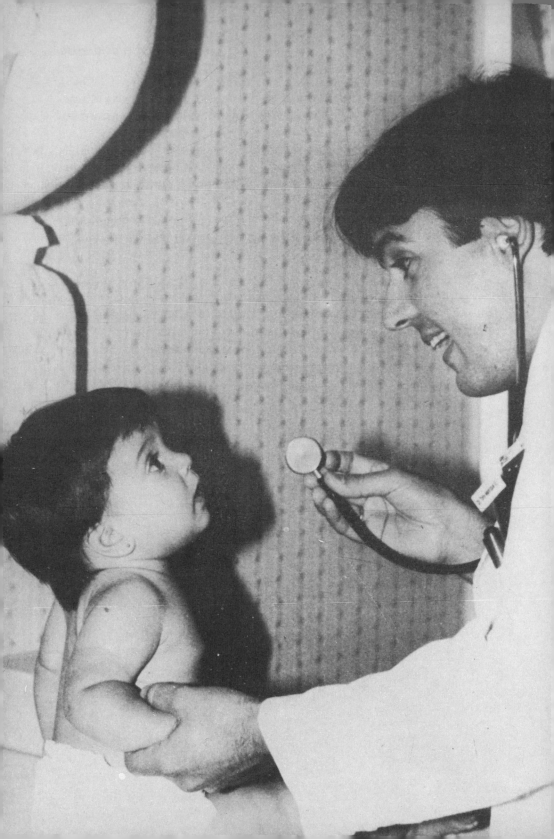

Enfermedades comunes
en la infancia

Enfermedades comunes
en la infancia

El capítulo que escribo a continuación ofrece información general sobre algunas de las enfermedades más comunes en la infancia; en ningún momento se pretende reemplazar el consejo de tu doctor, y no debe ser tomado como una guía para el diagnóstico y tratamiento de las mismas.

Recuerda que así como los niños son únicos y diferentes, las enfermedades pueden también manifestarse en formas variadas. Utiliza esta información como una guía general y siempre confía en tus propios instintos. Según mi experiencia profesional, cada vez que los padres sospechan que algo anda mal con sus hijos, están en lo correcto; por lo tanto, si tienes alguna duda, consulta inmediatamente con tu médico.

Fiebre

La fiebre es, sin duda, un signo frecuente en la gran mayoría de las enfermedades infantiles; como tal, es motivo de ansiedad tanto para los padres como para el médico pues implica que algo no anda bien.

Yaffe (1980), en su libro *Manejo de la fiebre en infantes y niños*, considera que la temperatura normal del cuerpo puede variar desde los 36,2° C hasta los 38° C; así pues, es deseable que los padres entiendan que 38° C no es necesariamente una temperatura elevada, y que sólo en caso de temperaturas mayores debemos alarmarnos.

Con frecuencia se presentan en mi consultorio bebés cuyo problema inicial es fiebre; si se trata de niños mayores de 6 meses, la causa casi siempre es un cuadro viral; en estos casos, después de realizar un examen físico completo, en donde no se encuentre una explicación obvia para la infección, el observar al niño por uno o dos días me parece razonable, hasta que aparezcan otros signos o síntomas menores como mocos en la nariz, ojos llorosos y disminución del apetito. En los síndromes gripales el tratamiento es sintomático; en otras palabras, no existen medicinas, en la actualidad, que realmente eliminen este tipo de virus; para el control de la temperatura son suficientes las medidas descritas al final de esta sección. Si el mismo bebé luciera realmente enfermo, o fuese menor de 6 meses, sería prudente y necesario actuar más enérgicamente, y realizar una serie de pruebas que pueden abarcar desde examen de sangre, heces y orina, hasta radiografías del pecho y punción lumbar. En estos casos es probable que la fiebre tenga origen bacteriano, y entonces esté indicado el uso de antibióticos.

Es importante recordar que niños menores de 6 meses, con fiebre, tienen un riesgo mayor de que la causa sea bacteriana; y que en niños menores de 3 meses la fiebre represente una visita automática al médico. Si adoptas este consejo, es probable que prevengas la extensión de muchas enfermedades gracias a su diagnóstico y tratamiento temprano.

Control de la fiebre

1. *Líquidos*: ofrécelos al bebé en abundancia; con frecuencia no demostrará mucha sed; sin embargo, temperaturas altas aumentan la pérdida de líquidos a través del sudor y la respiración, favoreciendo la deshidratación.

2. *Exposición al aire*: desviste al bebé dejándole su pañal, de esta forma expones la piel al aire favoreciendo la pérdida de calor.

3. *Baños con esponja*: utilizando una esponja y agua tibia (no necesitas agua helada, ni agregar alcohol) humedece y frota todo el cuerpo del bebé; repite esta operación cada dos horas. Permite que el agua se evapore del cuerpo por ella misma, pues así favoreces la pérdida de calor.

4. *Medicinas*: probablemente el médico te recete acetaminofén o aspirina para bajar la fiebre; asegúrate de que el bebé no sea alérgico a alguno de estos medicamentos, y sigue las instrucciones del médico cuidadosamente.

Nota: La aspirina debe ser usada con precaución en los desórdenes de las plaquetas y de la coagulación; en algunos casos puede producir inflamación del hígado e irritación gástrica.

Recuerda que el acetaminofén y la aspirina son medicinas que en grandes dosis pueden ser potencialmente peligrosas. Si tienes dudas en cuanto a la posología, consulta con el médico.

No te olvides de guardar estas y otras medicinas fuera del alcance de los niños.

Dosis de acetaminofén (Tempra®, Datril®: 1 cc = 100 mg)

Edad	Peso	Dosis
0 - 3 meses	2,700-5 kg	.... 40 mg (0,4 cc) cada 4-6 horas
4 -11 meses	5,500-7,700 kg	.... 80 mg (0,8 cc) cada 4-6 horas
12-23 meses	8-10,400 kg	.... 120 mg (1,2 cc) cada 4-6 horas
2 - 3 años	10,900-15,900 kg	.... 160 mg (1,6 cc) cada 4-6 horas

Dosis de aspirina infantil (1 tableta = 100 mg).

Edad	Dosis
0- 3 meses	1/2 tableta cada 4-6 horas
4-12 meses	1 tableta cada 4-6 horas
1- 3 años	2 tabletas cada 4-6 horas

Vómitos y diarrea

Existen muchas causas capaces de producir vómitos y diarrea durante el primer año de vida; sin embargo, la más frecuente de ellas es viral (rotavirus). Afortunadamente, casi todos los bebés son capaces de defenderse por ellos mismos de estos cuadros virales, ayudados de una simple dieta y líquidos abundantes.

A continuación describo la forma en que muchos médicos enfrentan este problema:

1. Dale sólo líquidos por 48 horas; a los *menores de 6 meses* puedes darle Pedialyte ® (solución con potasio, azúcar y sal), u ofrecerle agua hervida (240 ml) con 3 cucharaditas de azúcar. Durante las primeras seis horas trata de que tome pequeñas cantidades, no mayores de 180 ml por hora; si el niño vomita, de todos modos continúa ofreciéndole la solución lentamente (15-20 minutos). Después de esta primera fase puedes darle los líquidos que tolere, cada 2-3 horas. Debes

suspender temporalmente los alimentos sólidos y la leche; esta última, debido a que en ciertas gastroenteritis existe intolerancia a la lactosa (azúcar de la leche) y tiende a producir más diarrea. Si le estás dando pecho puedes continuar haciéndolo, pues la leche materna parece no agravar la diarrea.

A los mayores de 6 meses puedes darles tomas frecuentes de Pedialyte, o de agua con azúcar usando la misma concentración antes descrita; de igual manera, también pueden ser ofrecidos: jugo de manzana diluido a la mitad con agua, gaseosa, gelatina preparada con el

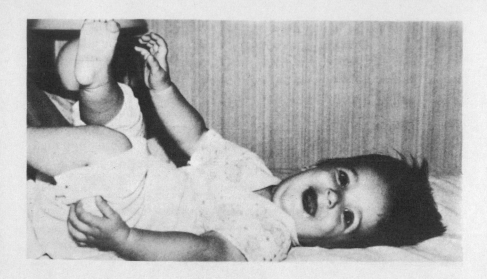

doble de agua, caldo de pollo o de carne. Suspende la leche, a menos que estés dando pecho, en cuyo caso puedes continuar.

2. Si la diarrea persiste después de 48 horas con la dieta descrita, o si aparecen signos y síntomas de deshidratación moderada como son: llanto sin lágrimas, ojos hundidos, fontanela deprimida, boca seca, orina en poca cantidad (mojando menos de tres pañales al día), bebé somnoliento, consulta inmediatamente con tu médico. Este tomará las medidas del caso y tratará de encontrar otras causas, como la bacteriana, parásitos, alergias alimentarias, etcétera.

3. Si la diarrea mejora, puedes comenzar a darle de nuevo su leche diluida (mitad leche, mitad agua). Algunos médicos cambian por leche de soja por algunos días; si ya está comiendo sólidos, puedes darle cereal de arroz, zanahorias, manzanas. Mantén al bebé en esta dieta por 24 horas.

4. Si después de 24 horas la diarrea ha desaparecido, el bebé puede volver a su dieta regular.

Para finalizar, recuerda que siempre que el bebé presente vómitos y diarrea es muy importante que ingiera más líquidos de lo normal, para de esta forma reponer todo el que haya perdido. Si lo ves actuando en forma extraña o presenta los síntomas de deshidratación mencionados, acude prontamente a tu doctor.

Otitis (dolor de oído)

Casi todos los niños durante los primeros años de vida presentan, por lo menos una vez, lo que llamamos inflamación aguda del oído medio (otitis). Todos sabemos lo doloroso que esto puede ser; aproximadamente 25% de los bebés presentan otitis durante el primer año; la incidencia máxima se halla entre los 6 y los 9 meses de edad.

Podríamos definir esta frecuente enfermedad como la acumulación de líquido en el oído medio del bebé. Los síntomas más frecuentes son: fiebre alta, dolor (moderado a intenso), irritabilidad, falta de apetito, y en algunos niños vómitos y diarrea. A menudo la afección viene precedida de un cuadro gripal, y es característico ver al niño tirándose de la orejita. Las otitis en su mayoría son producidas por bacterias (S - neumonía, H - influenza, estreptococo tipo A).

El diagnóstico se hace mediante la visualización del tímpano con un aparato llamado otoscopio. Pídele a tu médico que te permita ver cómo luce el oído del bebé en uno de sus chequeos de rutina, para que entiendas mejor la descripción. El tímpano aparece rojo e inflamado, y en algunos niños puede romperse; en estos casos el líquido sale al exterior a través del oído externo.

El tratamiento se basa en calmar el dolor con analgésicos tipo acetaminofén o aspirina (véase dosis en la sección sobre fiebre), calor local (colocando un fomento o paños tibios contra el oído afectado), y antibióticos apropiados que deben ser indicados por el médico. Una vez iniciado el tratamiento, verás resultados positivos a las 48-72 horas.

Nota: Como en todas las enfermedades de los niños, los padres y familiares deben mantenerse tranquilos y calmados; si le demuestras ansiedad al bebé, éste la captará inmediatamente y sólo servirá para que se sienta inseguro, llore más aún, y se agrave la situación.

Resfriado común

Las infecciones respiratorias son un problema sumamente frecuente en los primeros años de vida; algunos afirman que, junto con los procesos diarreicos, son las dos primeras enfermedades durante la infancia.

Como su nombre lo indica, se trata de una afección muy definida, caracterizada por un período de incubación de 1 a 3 días, que comienza con estornudos, irritación de los ojos y congestión nasal con mucosidad abundante; algunos bebés presentan fiebre moderada, tos seca, ardor o dolor de garganta y disminución del apetito. El cuadro es producido fundamentalmente por los virus de la influenza, parainfluenza, sincicial respiratorio, rinovirus y muchos otros más. La enfermedad tiende a ser benigna y desaparece de 5 a 7 días.

El tratamiento es puramente sintomático; deben administrarse abundantes líquidos, pues éstos evitan secreciones espesas y así facilitan el paso del aire a través de las vías respiratorias. En algunos casos se hace necesario el control de la fiebre, y de la tos si ésta es excesiva; son también beneficiosos evitar cambios bruscos de temperatura, y bastante reposo.

En algunos casos, los cuadros gripales pueden complicarse al añadírseles infecciones bacterianas; así pues, no es extraño que en un momento dado el bebé presente otitis, o dificultades para respirar de origen pulmonar. Por lo tanto, es prudente que el médico siempre examine al niño aunque sólo se trate de un resfriado común.

Erupciones

Las erupciones pueden ser consideradas como una causa frecuente de visitas al doctor durante la infancia.

Cuando describí al bebé recién nacido les hablé sobre el eritema tóxico, y a continuación enumeré algunas de las enfermedades capaces de producir erupciones en la piel. Si a tu bebé le aparece alguna de estas lesiones debes siempre notificárselo al médico, él te preguntará cuándo comenzó, si le pica, si viene acompañada a ᵉbre, si apareció después de alguna comida en especial, si ha tomadᵤ alguna medicina, o si hay historia de alergias en la familia.

En algunos casos, el diagnóstico casi puede hacerse por teléfono; en otros, se requiere de ciertos exámenes de laboratorio, e inclusive de referencias a especialistas dermatólogos. El tratamiento depende de la causa que la produzca; si se trata de una alergia alimentaria hay que retirar el alimento sospechoso de la dieta; si fuese un detergente o una tela en particular (poliester), el doctor te sugerirá un cambio. Existen medicinas que controlan el prurito (picazón) y que en algunos casos previenen la aparición de algunas de estas erupciones; entre ellas tenemos: calamina, antihistamínicos, vacunas y ciertos corticoesteroides. Como siempre, cualquiera de estos medicamentos debe ser indicado por el médico.

Exantema súbito

Se trata de una enfermedad producida por el virus del herpes humano tipo 6, (sexta enfermedad) que afecta principalmente a niños menores de tres años, y se caracteriza por la aparición súbita de fiebre (39, 4-41, 2°C) que dura de 3 a 4 días, sin otros síntomas. La fiebre se desvanece al cabo del tiempo mencionado, y entonces aparece una erupción que comienza en el tronco, extendiéndose luego a los brazos y al cuello; la cara y las piernas usualmente no se encuentran comprometidas. La erupción desaparece a las 24 horas sin dejar marcas; algunas veces puede presentarse una descamación ligera.

Se cree que no es contagiosa y se considera como una enfermedad benigna; no existe prevención o tratamiento específico. El control de la fiebre puede lograrse mediante el acetaminofén o la aspirina.

Rubéola

La rubéola es un enfermedad contagiosa producida por un virus; se trata de una infección leve, y la mayoría de las veces no produce más complicaciones que las ocasionadas por un resfriado común.

En los primeros días el niño puede presentar fiebre ligera, síntomas de tipo catarral, dolor de garganta. En algunos casos los ganglios pueden encontrarse inflamados, y son fáciles de sentir detrás de las orejas, en la nuca y debajo de la mandíbula. La erupción aparece en el segundo o tercer día, y consiste en puntos rojizos de 2 a 3 mm, planos, y que se distribuyen primero detrás de las orejas, luego en las mejillas, frente y nariz para en las siguientes 12 a 24 horas extenderse a todo el cuerpo; el color es rojo pálido, y si lo presionas con el dedo desaparece momentáneamente.

El período de incubación, o sea el tiempo que necesita el virus para reproducirse antes de que aparezcan los síntomas (fiebre, malestar general, etc.) es de 14 a 21 días. El niño se considera contagioso 2 a 3 días antes, y 5 días después de aparecida la erupción. La enfermedad se transmite de persona a persona a través de secreciones provenientes de la nariz y la garganta, o a través de la orina y las heces del enfermo.

Como ya mencionamos, esta enfermedad es bastante benigna y por lo tanto no requiere tratamiento específico; existen vacunas para prevenirla, y el riesgo verdadero es que las mujeres embarazadas contraigan la dolencia, ya que puede ocasionarle daños al feto en crecimiento.

En general, todos los niños deben ser vacunados contra la rubéola, y en especial aquellas mujeres en edad reproductiva que no hayan tenido la enfermedad.

Nota: un ataque previo de rubéola confiere inmunidad duradera; en otras palabras, es difícil que repita.

Varicela

También conocida como "lechina", es una enfermedad contagiosa producida por el virus "Herpes Zoster".

El síntoma principal lo constituye una erupción muy pruriginosa, caracterizada por grupos de pequeñas vesículas (ampollitas) llenas de un líquido claro, rodeadas por un halo rojizo, que aparecen en el cuerpo, alrededor de los ojos y en la boca; las lesiones en este último sitio pueden ser dolorosas. Además de la erupción, el niño puede presentar fiebre moderada, pero en general no luce muy enfermo. Con el tiempo, las ampollitas se rompen y aparecen costras.

La enfermedad dura alrededor de 7 a 10 días; el período de incubación es de 14 a 21 días, y el período de contagio es de 2 días antes y hasta 2 o 3 días después de secarse la última lesión.

El tratamiento se basa en mantener las lesiones limpias y libres de rascado o infección sobreañadida. Algunos médicos indican antihistamínicos y cremas antipruriginosas para disminuir el incesante deseo de rascarse las lesiones. El uso de aspirina para bajar la fiebre en esta particular enfermedad se halla *contraindicado*, pues en un buen número de casos se ha asociado con el síndrome de Reyes (inflamación de las células del cerebro, encefalitis). En estos casos, el acetaminofén (Tempra®, Datril®) es más acertado para el control de la temperatura.

Un ataque de varicela confiere inmunidad duradera (no repite).

Existe actualmente una vacuna (Varivax®) que muy pronto se usará de rutina a los 15 meses.

Sarampión

Se trata de una enfermedad altamente contagiosa, producida por un virus que afecta a todo el organismo, primordialmente la piel y las vías respiratorias.

En los primeros días el niño puede presentar fiebre, mocos abundantes (nariz aguda), ojos irritados y llorosos, malestar general, tos seca, y en algunos niños diarrea. Al tercer día la temperatura baja, y aparecen unas lesiones en la región interna de la boca correspondiente a las mejillas. A los 4 o 5 días la fiebre regresa de nuevo, y entonces aparece la erupción característica; comienza en la frente, luego detrás de las orejas, para extenderse al resto del cuerpo. Las lesiones son elevadas, rojizas, de 2 a 3 mm de diámetro, y por lo general no son pruriginosas (no pican); en la medida en que aparecen más, se juntan y dan la impresión de que se hicieron mayores; si las presionas con el dedo no desaparecen como en el caso de la rubéola.

Al sexto día la erupción comienza a desaparecer, y usualmente al cabo de una semana los síntomas también lo han hecho.

Aunque considerada benigna, esta enfermedad puede tener complicaciones serias como otitis, bronconeumonía, crup, encefalitis, y en algunos casos puede dejar secuelas (trastornos) permanentes.

El período de incubación comprende desde el momento del contagio hasta la aparición de los primeros síntomas catarrales, y es de 9 a 11 días.

Como ya mencioné, la enfermedad es altamente contagiosa, y se transmite a través de secreciones provenientes del sistema respiratorio (tos, mucosidad, etc.). El niño es contagioso desde el séptimo día después de haber sido expuesto al sarampión, hasta 5 días después de que la erupción haya desaparecido.

El tratamiento se asienta en el control de la fiebre, reposo en cama, ingestión adecuada de líquidos; humidificadores en el cuarto pueden ser útiles en caso de que presente tos seca e irritativa. A algunos pacientes les molesta la luz muy intensa debido a la irritación de los ojos que con frecuencia presentan. Si surgiera alguna complicación, puede hacerse necesario el uso de antibióticos e inmunoglobulinas.

Un ataque de sarampión puede dejar inmunidad permanente.

Tos ferina

La tos ferina es una enfermedad que afecta principalmente al sistema respiratorio. Es producida por una bacteria llamada "Bordetella Pertussis".

Los síntomas se caracterizan por fiebre moderada, nariz mocosa y tos.

Al comienzo, esta enfermedad puede confundirse con la gripe común; sin embargo, en vez de mejorar el cuadro a los 5-7 días, empeora; la tos aumenta poco a poco en intensidad y frecuencia convirtiéndose en espasmódica, haciendo que el niño se ponga azulado de tanto toser; cuando después de 5 a 6 accesos el niño inspira aire por la boca, se escucha una especie de silbido característico. Durante estos ataques, la cara se congestiona (se pone roja), los ojos lagrimean, y los labios se ponen cianóticos (azulados).

El período de incubación varía de 7 a 14 días; el período de contagio dependerá de lo rápido que la bacteria sea eliminada (con el uso de antibióticos, usualmente de 3 a 4 días).

El tratamiento varía de acuerdo con la gravedad de los ataques de tos. Aunque los antibióticos eliminan a la bacteria relativamente rápido, no disminuyen los ataques de tos, la cual a veces puede durar meses. En algunos casos se hace necesario el uso de oxígeno y otras medidas que pueden requerir la hospitalización del niño.

Existen vacunas que previenen en un alto porcentaje la aparición de esta peligrosa enfermedad; con todo, no ofrecen inmunidad o protección duradera y absoluta (puede aparecer aunque el niño haya sido vacunado).

Parotiditis (Paperas)

Se trata de una enfermedad aguda, producida por un virus de la familia del paramixovirus, que ocasiona una inflamación con engrandecimiento y dolor de todas las glándulas salivares, en especial de las parotideas (en la región del ángulo de la mandíbula).

El período de incubación varía de 14 a 24 días y una vez iniciada la enfermedad, se acompaña de fiebre, cefaleas (dolor de cabeza), mialgias (dolor muscular), y dolor en el cuello.

Las glándulas parotideas aumentan de volumen rápidamente (de horas a días), y se pone rojiza y dolorosa la región adyacente. Las glándulas salivares submandibulares pueden también recrecerse en diez a quince por ciento de los casos. La duración de esta enfermedad es de unos 7 a 10 días y se contagia a través de la saliva primordialmente. La inmunidad no es duradera (puede repetir). La evolución de esta enfermedad es normalmente benigna. Se han descrito complicaciones que van desde meningoencefalitis (inflamación del cerebro y su envoltorio) hasta orquitis (inflamación de los testículos) con lesiones permanentes que afectan la producción de espermatozoides. El tratamiento es sintomático, acetaminofén para el dolor y reposo.

Existe una vacuna contra esta enfermedad, que es bastante efectiva y se coloca de rutina a los 15 meses de edad (Ver cuadro de inmunizaciones).

Laringotraqueitis o Croup

Se trata de una enfermedad respiratoria que afecta los niños en las edades comprendidas entre los 3 meses y los 5 años, caracterizada por "Tos de Foca" de aparición súbita, casi siempre precedida de un cuadro gripal. El agente etiológico puede ser viral (influenza, adenovirus, respiratorio sincicial) o en otras oportunidades bacterianas (estrectococo, trectococo, H.influenza, microplasma, entre otros). El niño se despierta de rrepente con la tos descrita, llorando, presentando dificultad para tomar el aire, los padres se angustian con razón y llaman al pediatra. El evento suele ocurrir en la madrugada y puede ir desde una obstrucción importante del paso del aire a través de la tráquea, hasta un moderado quejido inspiratorio que mejora con el transcurso de las horas.

¿Qué hacer en estos casos? Lo primero, comunicarte con tu doctor y explicarle lo sucedido, temperatura, días con tos, grado de dificultad para respirar, etc. Él te recomendará como primera medida que respire vapor de agua o utilices aire humidificado, pues esto ayuda a desinflamar las vías respiratorias y mejora el trabajo respiratorio. Una forma de realizar esto, en dado caso de que no tengan un vaporizador, es abrir la llave de agua caliente en el baño y hacer que este se llene de vapor como en "sauna", luego con el niño sentado en las piernas permanecer por espacio de 20 minutos aproximadamente. Esta fácil operación mejora en un gran porcentaje el problema respiratorio.

Es aconsejable que si la dificultad persiste o se agrava, los padres se trasladen a la emergencia pediátrica más cercana para que el pequeño sea evaluado. En algunas oportunidades el uso de esteroides, oxígeno y antibióticos puede requerirse. Afortunadamente esto es la excepción y en su mayoría estos jovencitos se recuperan a los pocos días de su afección, también llamada por algunos falso croup.

Bibliografía

-Academia Norteamericana de Pediatría, 1985. *Pediatric Nutrition Handbook*.

-Ainsworth, M. y Witting, P. "Attachment and Exploratory Behavior of One Year Olds in a Strange Situation". En el Vol. A de *Determinants of Infant Behavior*, dirigido por B. M. Foss. Nueva York: Wiley, 1969.

-Ainsworth, Mary D. Salter. "Investigación ulterior sobre los efectos adversos de la privación de la madre". En *Child Care and Growth of Love*, dirigido por John Bowlby, 2a. edición, págs. 191-241. Harmondsworth, Inglaterra: Penguin Books, L.T.D.

-Applebaum, R.M., doctor. "The Modern Management of Succesful Breast Feeding", *Pediatric Clinics of North American*, Vol. 17, N° 1, feb. 1970, págs. 203-225.

-Bayley, Nancy. 1940. "Mental Growth in Young Children". *Yearbook of the National Society for the Study of Education*. 39/2: 11-47. 1969. *Bayley Scales of Infant Development*. Nueva York: Psychological Corporation.

-Beck, Deborah. "Preventive Intervention: Early Recognition and Traetment of Postpartum Depression". Trabajo presentado en el American College cf Nurse-Midwives. 7 de mayo de 1985, Houston, Texas.

-Bee, Helen. *The Developing Child*. Nueva York: Harper & Row Publishers Inc. 1975.

-Behrman, R. E. *Nelson Textbook of Pediatrics*, W. B. Saunders Co, 12a. edición, 1983.

-Blank, M. 1964. "Some Maternal Influences on Infant's Rate of Sensorimotor Development". *Journal of the American Academy of Child Psychiatry* 3:668-687.

-Bowlby, J. "Attachment", *Attachment and Loss Series*, vol. 1. Nueva York: Basic Books, 1969.

-Bowlby, J. "Separation: Anger and Anxiety", *Attachment and Loss Series*, vol. 2. Nueva York: Basic Books, 1973.

-Brainerd, C. *Piaget's Theory of Intelligence*. Englewood Cliffs, N. J.: Prentice-Hall, 1978.

-Brazelton, T. B. *On Becoming a Family*. Nueva York: Delacorte Press, Lawrence, 1981.

-Brazelton, T. B. *To Listen to a Child*. Merloyd Lawrence Book. 1984.

-Brazelton, T. B. "Effect of Maternal Medication on the Neonate and his Behavior". *Journal of Pediatrics* 58:513-518, 1961.

-Brazelton, T. B., Koslowski, B. y N. Main. "The Origins of Reciprocity: the Early Mother-Infant Interaction" en *The Effects of the Infant on Its Caregiver*, dirigido por Lewis, M. y L. Rosenblum. Nueva York: Wiley, pág. 49, 1974.

-Caplan, Frank, director de *The First Twelf Months of Life*. Princeton, N. J.: Edcom Systems, Inc.

-Cohn, J. y E. Tronick. "Communicative Rules and the Sequential Structure of Infant Behavior During Normal and Depressed Interaction". En *The Development of Human Communication and the Joint Regulation of Behavior*, dirigido por E. Tronick. Baltimore: University Park Press, 1982.

-Crandall, Virginia. 1972. "Achievement Behavior in Young Ch·ldren" en *Readings in Child Development*, dirigido por Irving B. Weiner y David Elkind. Nueva York: John Wiley & Sons.

-Eimers, R. *Effective Parents, Responsible Children.* McGraw-Hill Book Co. 1977.
-Erikson, E. *Childhood and Society.* Nueva York: W. W. Norton & Co, 1950.
-Escalone, S. K. "The Roots of Individuality". *Normal Paterns of Development in Infancy.* Chicago: Aldine, 1986.

-Flavell, J. *The Developmental Psychology of Jean Piaget.* Princeton, N. J.: Van Nostrand, 1963.
-Folley, S. J., doctor. "The Milk Ejection Reflex: A Neuroendocrine Theme in Biology, Myth and Art" *Journal of Endocrinology* 44:x-xx, agosto 1969.
-Fraiberg, S. *The Magic Years.* Nueva York: Seribners, 1959.
-Freud, A. *Normality and Pathology in Childhood.* Nueva York: International Universities Press, 1965.
-Frankenburg, W. K. *Pediatric Developmental Diagnosis.* Nueva York: Thime-Stratton Ipc., 1981.

-Gabel, S. *Behavioral Problems in Childhood.* Grune & Stratton, Inc., 1981.
-Gesell, A. *The Embryology of Behavior.* Nueva York: Harper & Row, 1943.
-Gesell, A. *The First Five Years of Life.* Nueva York: Harper & Row, 1940.
-Greenspan, S. *First Feelings.* Brattleboro, Vermont: Viking Penguin Inc., The Book Press, 1985.
-Gyorgy, P., doctor. "Biochemical Aspects", trabajo presentado en simposio. "The Uniquess of Human Milk", *American Journal of Clinical Nutrition*, págs. 970-975, agosto 1971.

-Harrison, H. *The Premature Baby Book.* Nueva York: St. Martin's Press, 1978.
-Hellmuth, J. director de *Cognitive Studies*, Vol. 1. Nueva York: Brunner/Mazel, 1971.
-Hess, R. y V. Shipman. "Early Experiences and Cognitive Modes" *Child Development* 36:869, 1965.

-Ilg, F. L. *Child Behavior*, Barnes & Noble Books, 1981.

-Kagan, J. *Change and Continuity in Infancy.* Nueva York: John Wiley & Sons.
-Kempe, C. H. *Current Pediatric Diagnosis and Treatment.* L. M. P. 8a. edición, 1984.

-Leach, P. *Your Baby and Child.* Alfred A. Knopf Inc., 1985.
-Levy, D. M. *Maternal Overprotection.* Nueva York: W. W. Norton & Co. Edición rústica, 1956.

-Lewis, M. M. *Language, Thoughts and Personality in Infancy and Child-hood*. Nueva York: Basic Books, 1963.

-Lippsitt, L. "Learning Processes of Human Newborns", *Merril Palmer Quarterly* 12:45-71.

-Mahler, M. S. y K. La Perriere. "Mother-Child Interaction During Separation" *Psychoanalytical Quarterly* 34:483-498, 1965.

-Mahler, M. S. "On Sadness and Grief in Infancy and Childhood". *Study Child.*, 16:332-51, 1977.

-Manrique, B. *Un cambio a partir del niño*, Ediciones del Rectorado, Universidad Central de Venezuela, 1985.

-Mata, L. J. y R. G. Wyatt. "Host Resistance to Infection". *American Journal of Clinical Nutrition*, agosto 1971.

-Matthews, T. S. "Infantile Gastroenteritis". *British Medical Journal* 3:161, 18 de julio, 1970.

-Murphy, L. *Personality in Young Children*, vol. II. Nueva York: Basic Books Inc., 1956.

-Parks, R. D. *Fathers*. Harvard University Press, 1981.

-Piaget, J. *The Child's Conception of the World*. Patterson, N. Y.: Little-fields, Adams & Co., 1963.

-Piaget, J. *The Languaje and Thought of the Child*. Nueva York: The World Publishing Company, 1963.

-Piaget, J. *The Origins of Intelligence in Children*. Nueva York: International Universities Press, 1952, 2a. edición.

-Rutherford, F. W. *You and Your Baby*. Signet, The New American Library, 1971.

-Segal, M. *Your Child at Play: Birth to One Year*. Nueva York: Newmarket Press, 1985.

-Salk, L. *What Every Child Would Like His Parents to Know*. Nueva York: David McKay Co., 1971.

-Setsu Furuno. *Hawai Early Learning Profile* (HELP). Vort Corporation, Universidad de Hawai, 1979.

-Spock, B. *Common Sense Book of Baby and Child Care*. Nueva York: Duell, Sloan and Pearce, 1945.

-The Children Hospital Medical Center (Centro Médico del Hospital de Niños) y el doctor R. I. Feinbloom. *Child Health Encyclopedia*. Delta Special/Seymour Lawrence, 1975.

-Thomas, A., S. Chess, H. Birch, I.I. E. Hertzig y S. Korn. *Behavioral Individuality in Early Childhood*. Nueva York: New York University Press, 1963.

-Wadsworth, B. *Piaget's Theory of Cognitive Development*. Nueva York: Longman, 2a. edición, 1979.

-White, B. L. "Child Development Research: an Edifice Without Foundation", en *Readings in Child Development and Personality*, dirigido por P. H. Mussen *et al.*, págs. 97-117, 2a. edición. Nueva York: Harper & Row, 1970.

-White, R. "Motivation Reconsidered: The Concept of Competence". *Psychological Review*, vol. 66, N° 5, 1959.

-Winberg, J. y G. Wessner. "Does Breast Milk Protect Against Septicemia in the Newborn?" *Lancet* 1:1091-1094, 29 de mayo, 1971.

-Wolff, P. *The Causes, Controls and Organization of Behavior in the Neonate*. Nueva York: International Universities Press, 1965.

Índice